Gwyddoniaeth Gynradd

Archwilio Prosesau A Chysyniadau

CREIGIAU, PRIDD A THYWYDD

OED 7-12

Canllaw Athrawon

Ysgolion treialu

Mae Project SPACE a'r Ymddiriedolaeth yn ddiolchgar i lywodraethwyr, staff a disgyblion yr holl ysgolion treialu. Bydd yn amlwg i ddarllenwyr y cyhoeddiadau hyn gymaint yw ein dyled iddynt am eu cymorth, ac yn enwedig i'r plant am gofnodion ysgrifenedig a darluniau o'u gwaith caled a'u dealltwriaeth gynyddol o wyddoniaeth.

Ysgol Gynradd All Saints, Barnet, Swydd Hertford
Ysgol Gynradd Sirol Ansdell, Lytham St Anne's, Swydd Gaerhirfryn
Ysgol Iau Eglwys Loegr Bishop Endowed, Blackpool
Ysgol Gynradd Brindle Gregson Lane, Swydd Gaerhirfryn
Ysgol Iau a Babanod Brookside, Knowsley
Ysgol Gynradd Chalgrove, Finchley, Llundain N3
Ysgol Gynradd Gatholig Christ the King, Blackpool
Ysgol Gynradd Gatholig English Martyrs, Knowsley
Ysgol Gynradd Sirol Fairlie, Skelmersdale, Swydd Gaerhirfryn
Ysgol Gynradd Fairway, Mill Hill, Llundain NW7
Ysgol Gynradd Foulds, Barnet, Swydd Hertford
Ysgol Gynradd Sirol Frenchwood, Preston
Ysgol Gynradd Grange Park, Llundain N21
Ysgol Gynradd Hallesville, Newham, Llundain E6
Ysgol Gynradd Heathmore, Roehampton, Llundain SW15
Ysgol Iau Honeywell, Llundain SW11
Ysgol Iau Eglwys Loegr Huyton, Knowsley
Ysgol Iau Longton, Preston
Ysgol Gynradd Eglwys Loegr Mawdesley, Swydd Gaerhirfryn
Ysgol Fabanod Moor Park, Blackpool
Ysgol Gynradd Sirol Mosscroft, Knowsley
Ysgol Gynradd Nightingale, Llundain E18
Ysgol Gynradd Oakhill, Woodford Green, Essex
Ysgol Gynradd Sirol Park Brow, Knowsley
Ysgol Iau Park View, Knowsley
Ysgol Iau Purford Green, Harlow, Essex
Ysgol Gynradd Ronald Ross, Llundain SW19
Ysgol Rosh Pinah, Edgeware, Middlesex
Ysgol Iau Sacred Heart, Battersea, Llundain SW11
Ysgol Fabanod Gatholig St Aloysius, Knowsley
Ysgol Gynradd Gatholig St Andrew, Knowsley
Ysgol Gynradd Gatholig St Bernadette, Blackpool
Ysgol Iau Eglwys Loegr St James, Forest Gate, Llundain E7
Ysgol Gynradd Gatholig St John Fisher, Knowsley
Ysgol Gynradd Gatholig St John Vianney, Blackpool
Ysgol Gynradd Gatholig St Mary a St Benedict, Bamber Bridge, Preston
Ysgol Gynradd Gatholig St Peter a St Paul, Knowsley
Ysgol Gynradd Gatholig St Theresa, Blackpool
Ysgol Gynradd Gatholig St Theresa, Finchley, Llundain N3
Ysgol Gynradd Sirol Scarisbrick, Swydd Gaerhirfryn
Ysgol Iau Selwyn, Llundain E4
Ysgol Gynradd Snaresbrook, Wanstead, Llundain E18
Ysgol Gynradd South Grove, Walthamstow, Llundain E17
Ysgol Fabanod Southmead, Llundain SW19
Ysgol Gynradd Eglwys Loegr Staining, Blackpool
Ysgol Gynradd Sirol Walton-le-Dale, Preston
Ysgol Gynradd Sirol West Vale, Kirkby
Ysgol Gynradd Woodridge, North Finchley, Llundain N12

GWYDDONIAETH GYNRADD NUFFIELD
Archwilio Prosesau a Chysyniadau Gwyddonol

Addasiad Cymraeg
Ken a Sian Owen

Cyfarwyddwyr
Paul Black
Wynne Harlen

Dirprwy Gyfarwyddwr
Terry Russell

Aelodau'r project
Robert Austin
Derek Bell
Adrian Hughes
Ken Longden
John Meadows
Linda McGuigan
Jonathan Osborne
Pamela Wadsworth
Dorothy Watt

Dylunio gan Carla Turchini, Chi Leung
Darluniau gan Hemesh Alles, John Booth, Gay Galsworthy, Maureen Hallahan, Helen Herbert, Sally Neave, Rhian Nest-James, Karen Tushingham

Ffotograffau
Tudalen 28: Hutchison Library
Tudalen 60 (chwith): Rex Features
Tudalen 60 (de): Catherine Blackie

Comisiynwyd ffotograffau gan Oliver Hatch

Carai'r Ymddiriedolaeth a'r Cyhoeddwyr ddiolch i lywodraethwyr, staff a disgyblion Ysgol Gynradd Hillbrook, Tooting, am eu cydweithrediad caredig wrth dynnu nifer o'r ffotograffau yn y llyfr hwn.

Ymgynghorydd diogelwch
Peter Borrows

Cyfranwyr eraill
Elizabeth Harris
Carol Joyes
Anne de Normanville
Ralph Hancock

Cyhoeddwyd 1998 gan Wasg y Dref Wen
28 Church Road, Yr Eglwys Newydd,
Caerdydd CF4 2EA
Ffôn 01222 617860

Cynnwys

*Mae tywydd yn ymddangos yn Nghwricwlwm Daearyddiaeth yng Nghyfnod Allweddol 2, nid Gwyddoniaeth. Dylid dysgu disgyblion am batrymau tywydd tymhorol.

Eglurhad o'r symbolau ar ymyl y tudalennau

 Rhybudd

 Cyfleoedd da i ddatblygu ac asesu gwaith yn gysylltiedig â Gwyddoniaeth Arbrofol ac Ymchwiliol

 Nodiadau a allai fod o ddefnydd i athrawon

 Gwaith geirfa

 Cyfleoedd i blant ddefnyddio technoleg gwybodaeth

 Offer angenrheidiol

 Cyfeirio at lyfrau disgyblion

Rhagarweiniad

1.1 Dull SPACE o addysgu a dysgu gwyddoniaeth

Ar yr olwg gyntaf, mae'n bosibl na fyddai ystafell ddosbarth gynradd lle defnyddir ymdriniaeth SPACE (*Science Processes And Concept Exploration*) o wyddoniaeth yn ymddangos yn wahanol i unrhyw ddosbarth arall sy'n gwneud gweithgareddau gwyddoniaeth; yn y naill a'r llall, bydd plant wrthi yn feddyliol a chorfforol yn archwilio gwrthrychau a digwyddiadau yn y byd o'u cwmpas. Ond, o edrych yn fwy gofalus, gwelir bod gweithgareddau'r plant yn ogystal â rôl yr athro/athrawes yn wahanol i'r rhai a geir mewn ymdriniaethau eraill. Nid yw'r plant yn dilyn cyfarwyddiadau a roddir gan eraill; nid ydynt yn datrys problem a osodir gan rywun arall. Maent wedi ymgolli mewn gwaith sy'n seiliedig ar eu syniadau eu hunain, ac mae ganddynt ran yn y penderfyniadau ynglŷn â sut i wneud hynny.

Bydd yr athrawon, wrth reswm, wedi ymbaratoi'n ofalus i gyrraedd y cam lle bydd plant yn rhoi eu syniadau eu hunain ar brawf. Byddant wedi troi at y pwnc trwy roi cyfleoedd i'r plant archwilio o'u profiad eu hunain sefyllfaoedd sy'n ymgorffori syniadau gwyddonol pwysig. Bydd yr athrawon wedi sicrhau bod y plant wedi mynegi eu syniadau am yr hyn y maent yn ei archwilio, gan ddefnyddio un neu ragor o ymdriniaethau posibl – o drafodaeth rhwng y dosbarth cyfan i siarad â phlant unigol, neu ofyn i blant ysgrifennu neu dynnu lluniau – a byddant wedi archwilio rhesymau'r plant dros fod yn berchen ar y syniadau hynny.

Gyda'r wybodaeth hon, bydd yr athrawon wedi penderfynu sut i helpu'r plant feithrin neu adolygu eu syniadau. Gallai hynny olygu gwneud i'r plant ddefnyddio'r syniadau i ragfynegi, cyn rhoi prawf ar y rhagfynegiad i weld a yw'n gweithio'n ymarferol; neu gallai'r plant gasglu rhagor o wybodaeth i'w thrafod a'i hystyried. Yn arbennig, bydd yr athrawon yn nodi pa mor 'wyddonol' y bu'r plant yn casglu a defnyddio tystiolaeth; a dylent, trwy gwestiynu'n ofalus, annog rhagor o fanwl gywirdeb wrth ddefnyddio'r medrau sy'n perthyn i'r prosesau gwyddonol.

Mae'n hanfodol mai'r plant sy'n newid eu syniadau o ganlyniad i'r hyn y maent yn ei ddarganfod eu hunain, ac nad ydynt yn syml yn derbyn syniadau a gyflwynir iddynt fel 'gwell syniadau'.

Trwy archwilio syniadau'r plant yn ofalus, eu cymryd o ddifrif a dewis ffyrdd priodol o helpu'r plant roi prawf ar y syniadau hynny, gall athrawon symud y plant tuag at syniadau sy'n fwy cyson gymwys ac yn gweddu'n well o ran y dystiolaeth – rhai sydd, yn fyr, yn fwy gwyddonol.

Fe gewch ragor o wybodaeth am ymdriniaeth SPACE yn y llawlyfr i gydgysylltwyr gwyddoniaeth sy'n rhan o Wyddoniaeth Gynradd Nuffield.

1.2 Strategaethau defnyddiol

Canfod syniadau'r plant

Mae'r canllaw hwn yn cyfeirio at lawer o gyfleoedd ar gyfer canfod syniadau'r plant. Un ffordd, yn syml, yw siarad, ond mae nifer o ffyrdd eraill. Gwelsom fod y strategaethau canlynol yn effeithiol. Mae'r ffordd rydych yn eu defnyddio yn gallu amrywio gan ddibynnu ar y maes gwyddonol sydd dan sylw. Mae enghreifftiau o'r strategaethau hyn ym Mhennod 3. Rhoddir rhagor o wybodaeth amdanynt yn y llawlyfr i gydgysylltwyr gwyddoniaeth.

Siarad a chwestiynu agored

Gall trafodaethau gyda'r dosbarth cyfan fod yn ddefnyddiol ar gyfer rhannu syniadau, ond nid ydynt bob amser yn rhoi cyfle i bob plentyn siarad. Mae'n aml yn fuddiol os rhoddir cyfle i blant feddwl am eu syniadau eu hunain yn gyntaf, o bosibl trwy dynnu lluniau i'w hegluro, ac yna eu hannog i rannu'r syniadau ag eraill – o bosibl ag un plentyn arall, neu gyda grŵp mwy.

Lluniau a geiriau

Trwy ofyn i blant dynnu llun o'u syniadau, gellir cael golwg arbennig o glir ar yr hyn y maent yn ei feddwl. Mae'n rhoi cyfle i chi hefyd drafod eu syniadau â'r plant eu hunain. Yna gallwch chi neu'r plentyn ychwanegu geiriau sy'n cyfleu'r syniadau hyn at y llun, yn ystod y drafodaeth, er mwyn egluro'r hyn a ddangosir. Gellir cadw gwaith o'r fath yn gofnod parhaol.

Didoli a dosbarthu

Gall hyn fod yn ffordd ddefnyddiol o helpu'r plant egluro eu syniadau a chofnodi eu meddyliau. Gallent ddidoli casgliad o eitemau neu ddarluniau yn grwpiau.

Ysgrifennu syniadau

Gallai'r plant hefyd ysgrifennu eu hatebion i gwestiynau y byddwch chi'n eu gofyn. Mae ysgrifennu yn rhoi cyfle i'r plant fynegi eu syniadau eu hunain, cyn eu rhannu â phobl eraill, neu ymchwilio ymhellach iddynt.

Llyfrau cofnod a dyddiaduron

Gellir cadw'r rhain i gofnodi newidiadau yn ystod ymchwiliad hirach. Nid oes angen i blant unigol eu cadw o anghenraid, ond gallai grŵp neu ddosbarth cyfan eu cadw. Gall plant gofnodi eu syniadau, ar ffurf geiriau neu ddarluniau, pan sylwant ar unrhyw newidiadau, a'r rhesymau yn eu tyb hwy dros yr hyn a welant.

Helpu'r plant ddatblygu eu syniadau

Gadael i'r plant roi prawf ar eu syniadau eu hunain

Trwy wneud hyn bydd y plant yn defnyddio rhai o'r medrau sy'n perthyn i'r prosesau gwyddonol:

- arsylwi
- mesur
- damcaniaethu
- rhagfynegi
- cynllunio a chynnal profion teg
- dehongli canlyniadau a darganfyddiadau
- cyfathrebu

Mae hon yn strategaeth bwysig y gellir, ac y dylid, ei defnyddio'n aml. Er mwyn *datblygu* y medrau sy'n perthyn i brosesau gwyddonol, y mae'n rhaid eu *defnyddio* – er enghraifft, trwy roi mwy o sylw i fanylder wrth arsylwi, rheoli newidynnau yn fwy gofalus wrth gynnal profion teg, ac ystyried yr holl dystiolaeth wrth ddehongli'r canlyniadau.

Annog cyffredinoli o un cyd-destun i un arall

Wrth drafod un digwyddiad, ystyriwch a yw'r esboniad a gynigir yn berthnasol mewn cyd-destun arall sy'n dibynnu ar yr un cysyniad gwyddonol. Gallech chi neu'r plant awgrymu cyd-destunau eraill i'w harchwilio. Gellid gwneud hyn trwy drafod y dystiolaeth o blaid ac yn erbyn yr esboniad, neu drwy gasglu rhagor o wybodaeth a rhoi prawf ar y syniad yn y cyd-destun arall, gan ddibynnu ar ba mor gyfarwydd yw'r plant â'r digwyddiadau dan sylw.

Trafod y geiriau a ddefnyddir gan y plant i ddisgrifio eu syniadau

Gellir gofyn i blant fod yn eithaf penodol ynglŷn ag ystyr y geiriau a ddefnyddiant, boed wyddonol ai peidio. Gellir eu hannog i feddwl am eiriau eraill sydd â bron yr un ystyr. Lle bo'n briodol, gallant drafod geiriau sydd ag ystyr arbennig mewn cyd-destun gwyddonol, a thrwy hynny eu cynorthwyo i sylweddoli bod gwahaniaeth rhwng defnydd 'bob-dydd' rhai geiriau a'u defnydd gwyddonol.

Ehangu ystod y dystiolaeth

Mae'n debyg y bydd rhai o syniadau'r plant yn gyson â'r dystiolaeth fu ar gael iddynt hyd at hynny, ond gellid eu herio trwy ymestyn y dystiolaeth honno. Mae hyn yn arbennig o berthnasol ar gyfer pethau y mae'n anodd arsylwi arnynt, fel newidiadau araf; neu rai sydd fel arfer ynghudd, fel rhannau mewnol gwrthrychau. Trwy geisio gwneud y pethau anweladwy hyn yn ddealladwy, yn aml trwy ddefnyddio ffynonellau eilaidd, mae'r plant yn raddol yn dod i ystyried ystod ehangach o dystiolaeth.

Annog plant i gyfathrebu eu syniadau

Mae mynegi syniadau mewn unrhyw ffordd – trwy ysgrifennu, tynnu lluniau, modelu neu, yn arbennig, trwy drafod – yn golygu meddwl yn drefnus am bethau ac yn aml ailfeddwl ac adolygu'r syniadau. Mae i drafodaeth fantais bellach o ran ei bod yn broses ddwy ffordd, a gall plant osod syniadau pobl eraill ochr yn ochr â'u syniadau eu hunain. Mae'r cam syml o sylweddoli bod gwahanol syniadau yn bodoli yn eu helpu i ailystyried eu syniadau eu hunain.

1.3 Cyfleoedd cyfartal

Mae ymdriniaeth SPACE o addysgu a dysgu gwyddoniaeth yn rhoi cyfleoedd i bob plentyn sefydlu a datblygu ei brofiadau, ei fedrau a'i syniadau. Felly, gall defnyddio'r ymdriniaeth fod o fudd i ddisgyblion o bob math ac ar unrhyw gam yn eu datblygiad. Trafodir hyn yn llawn yn y llawlyfr i gydgysylltwyr gwyddoniaeth.

1.4 Creigiau, pridd a thywydd a'r cwricwlwm

Rhennir y canllaw athrawon hwn yn ddwy thema; ym mhob thema, mae adran am ganfod syniadau'r plant, enghreifftiau o syniadau plant, ac adran ar helpu plant ddatblygu eu syniadau.

Creigiau a phriddoedd

Mae'r thema hon yn archwilio natur creigiau a phriddoedd a sut y cânt eu ffurfio. Cyflwynir syniadau am ffurfio gwahanol nodweddion ar y tirwedd ac am adeiledd y Ddaear. Mae syniadau'r plant am yr hyn sydd dan y ddaear yn amrywio'n fawr, ond prin yw'r rhai sydd ag unrhyw ymwybyddiaeth o'r graddfeydd a'r pellteroedd dan sylw. Maent yn cysylltu pridd â'r defnydd y mae pethau'n tyfu ynddo, ond ychydig o blant sy'n awgrymu bod gwahanol fathau o bridd neu'n dangos sut y daeth y pridd yno. Y tueddiad yw ystyried creigiau yn gyfystyr â cherrig mawr iawn; ymddengys mai ychydig o blant sy'n ymwybodol bod haenau o greigiau dan y ddaear. Mae eu syniadau am ffurfio nodweddion y tirwedd yn aml yn dibynnu ar brofiadau penodol. Mae'r gweithgareddau yn darparu cyfleoedd i blant arsylwi, dosbarthu a chynnal profion ar greigiau a phriddoedd o wahanol fathau er mwyn edrych ar eu priodweddau. Awgrymir ymchwiliadau i'r ffactorau sy'n effeithio ar greigiau a phriddoedd er mwyn bod o gymorth wrth ddatblygu syniadau'r plant am y dulliau y cafodd creigiau a phriddoedd eu ffurfio. Rhoddir syniadau am ymweliadau.

Tywydd

Mae'r thema hon yn archwilio newidiadau yn y tywydd a'r patrymau tymhorol y gellir eu hadnabod. Cyflwynir effeithiau gwahanol dywydd ar yr amgylchedd. Mae'r rhan fwyaf o blant yn ymwybodol o newid tywydd ac yn aml gallant gysylltu'r newid â gwahanol adegau o'r dydd neu'r flwyddyn. Yn aml iawn, disgrifiadau syml yw eu syniadau, heb gyfeirio at lawer o amrywiadau. Defnyddir lloerennau yn helaeth i baratoi rhagolygon tywydd, ond prin yw'r plant sy'n ymwybodol o'r angen i fesur nifer o wahanol ffactorau er mwyn gallu proffwydo'r tywydd. Mae'r gweithgareddau yn cynnwys mesur a chofnodi gwahanol nodweddion tywydd, a defnyddio data o ffynonellau eilaidd i ymchwilio i'r mathau o dywydd sy'n digwydd mewn mannau penodol. Awgrymir ffyrdd o archwilio effeithiau gwahanol elfennau'r tywydd. Mae'r plant hefyd yn ystyried y gylchred ddŵr.

Defnyddiau a'u Priodweddau

1 Grwpio a dosbarthu defnyddiau

a cymharu defnyddiau bob-dydd ar sail eu priodweddau, gan gynnwys caledwch, cryfder, hyblygrwydd ac ymddygiad magnetig, a pherthnasu'r priodweddau hynny â'r defnydd bob-dydd o'r defnyddiau;

d disgrifio a grwpio creigiau a phriddoedd ar sail nodweddion, gan gynnwys ymddangosiad, gwead ac athreiddedd.

3 Gwahanu cymysgeddau o ddefnyddiau

a bod modd gwahanu gronynnau solid o wahanol faint drwy ogrwn.

Defnyddiau a'u Priodweddau

2 Newid defnyddiau

e y gylchred ddŵr a'r rhan a chwaraeir gan anweddu a chyddwyso.

Mae tywydd yn ymddangos yng Nghwricwlwm Cenedlaethol Daearyddiaeth yng Nghyfnod Allweddol 2, nid Gwyddoniaeth. Dylid dysgu disgyblion am batrymau tywydd tymhorol.

1.5 Gwyddoniaeth Arbrofol ac Ymchwiliol

Dwy agwedd bwysig ar addysg wyddoniaeth y plant yw:

◆ dysgu sut i ymchwilio i'r byd o'u cwmpas;
◆ dysgu gwneud synnwyr o'r byd o'u cwmpas gan ddefnyddio syniadau gwyddonol.

Adlewyrchir y rhain yn y Cwricwlwm Cenedlaethol. Mae 'Gwyddoniaeth Arbrofol ac Ymchwiliol' yn cwmpasu'r agwedd gyntaf. Cwmpasir yr ail agwedd gan weddill y Rhaglen Astudio. Er i'r ddwy agwedd o addysg wyddonol gael eu gwahanu yn y Cwricwlwm Cenedlaethol, ni ellir eu gwahanu'n ymarferol ac nid yw'n ddefnyddiol ceisio gwneud hynny. Trwy ymchwilio bydd plant yn archwilio eu syniadau a/neu'n rhoi prawf ar y syniadau sy'n codi o drafodaeth. O ganlyniad, gellir rhoi hwb ymlaen i'r syniadau, ond bydd hynny'n dibynnu ar fedrau ymchwiliol y plant. O'r herwydd, mae'n bwysig datblygu'r medrau hyn yng nghyd-destun gweithgareddau a fydd yn ehangu syniadau. Felly yng Ngwyddoniaeth Gynradd Nuffield ni cheir canllaw ar wahân i athrawon ar ymchwiliadau gwyddonol, oherwydd mae cyfleoedd i'w cynnal yn codi trwy'r holl ganllawiau ac maent yn rhan hanfodol o ymdriniaeth SPACE.

Felly yn y canllaw hwn fe welwch ymchwiliadau a fydd yn rhoi cyfleoedd i ddatblygu ac asesu'r medrau a'r ddealltwriaeth a ddisgrifir yn yr adran

Gwyddoniaeth Arbrofol ac Ymchwiliol. Caiff y rhain eu dynodi yn y testun â'r symbol a ddangosir yma. Yn y canllaw hwn i athrawon, yr ymchwiliad sy'n cwmpasu'r mwyaf o fedrau yw 'Pridd a thwf planhigion' (tudalen 53) a 'Gorsaf dywydd' (tudalen 68).

Mae'n bwysig i athrawon roi arweiniad gweithredol i ddisgyblion yn ystod yr ymchwiliadau i'w helpu i weld ffyrdd o wella'r modd y maent yn cynllunio a chynnal eu hymchwiliadau.

Mae Gwyddoniaeth Arbrofol ac Ymchwiliol yn ymwneud â'r ffyrdd y gellir dod o hyd i dystiolaeth wyddonol, am y ffyrdd y gwneir arsylwadau a mesuriadau, ac am y ffordd y dadansoddir y dystiolaeth. Felly mae'n pennu tair ffordd y gall disgyblion ddatblygu eu gallu i wneud gwyddoniaeth arbrofol ac ymchwiliol, fel a ganlyn:-

1 'Cynllunio gwaith arbrofol.' Yma, dylid helpu'r plant symud ymlaen o ofyn cwestiynau cyffredinol a phenagored, i awgrymu syniadau y gellid rhoi prawf arnynt. Dylai trafodaethau athrawon â disgyblion geisio helpu'r disgyblion ragfynegi, gan ddefnyddio eu dealltwriaeth ar y pryd, ac ar sail hynny benderfynu pa dystiolaeth y dylid ei chasglu. Dylai hyn eu harwain i ystyried pa offer a chyfarpar y dylent eu defnyddio.

Wrth i blant ddisgrifio cynlluniau ar gyfer eu gwaith, dylid helpu'r plant ystyried pa nodweddion y maent am eu newid, pa rai o effeithiau'r newidiadau hyn y maent am arsylwi arnynt neu eu mesur, a pha nodweddion y dylid eu cadw'n sefydlog. Fel hyn, gallant ddod i ddeall beth yw ystyr 'prawf teg'.

2 'Dod o hyd i dystiolaeth.' Dylai plant wneud arsylwadau yn tarddu o'u syniadau am yr hyn y maent yn chwilio amdano a pham. Wrth iddynt ddisgrifio eu harsylwadau, efallai y bydd yn rhaid i athrawon helpu'r plant wella, er enghraifft trwy eu hatgoffa o'u hamcanion a'u cynllun gwreiddiol ar gyfer y gwaith. Dylai cymorth o'r fath annog cynnydd, o wneud cymariaethau a barnu'n ansoddol at werthfawrogi gwerth gwneud mesuriadau meintiol (er enghraifft mae 'dŵr oer' yn ansoddol, ond 'dŵr ar 12 °C' yn feintiol). Dylai hyn arwain at ddatblygu eu medrau wrth ddefnyddio nifer o ddarnau o offer ac at gynyddu gofal a manwl-gywirdeb wrth fesur, gan gynnwys, er enghraifft, mesur fwy nag unwaith er mwyn gwirio.

3 'Ystyried tystiolaeth.' Yma, dylai plant ddysgu'n gyntaf i gofnodi eu tystiolaeth mewn ffyrdd systematig ac eglur, gan ddechrau â lluniau syml ac yna dysgu defnyddio tablau, siartiau bar a graffiau llinell i arddangos y patrymau mewn data rhifyddol. Yna dylid gofyn iddynt ystyried a thrafod eu canlyniadau, gan ystyried yr hyn y gellid ei ddysgu o unrhyw dueddiadau neu batrymau. Wrth i syniadau ddatblygu, dylent gymryd gofal wrth wirio eu tystiolaeth gyferbyn â'r syniad gwreiddiol oedd wrth wraidd yr ymchwiliad a dylent ddod yn fwyfwy beirniadol wrth drafod esboniadau eraill a allai ffitio eu tystiolaeth. Mewn trafodaethau o'r fath, dylid helpu'r plant gysylltu eu dadleuon â'u dealltwriaeth wyddonol ddatblygol. Hefyd dylid eu harwain i weld posibiliadau cynnal eu hymchwiliad yn fwy gofalus, neu mewn ffyrdd hollol wahanol.

Er y gall y tri cham uchod ymddangos yn ddilyniant naturiol, mae'n bosibl na fydd gwaith plant yn dilyn y drefn arbennig hon. Er enghraifft, efallai y bydd rhai yn dechrau â thystiolaeth o'u harsylwadau a symud ymlaen ar sail hynny i gynnig damcaniaeth a chynllun i roi prawf arni. I eraill, gall canlyniadau un dasg fod yn fan cychwyn ar gyfer ymchwiliad newydd sy'n cynnwys mesuriadau newydd. Gallai plant ddysgu llawer am sut i ymchwilio pe ceid sefyllfa'n ymdrin â dim ond un neu ddwy o'r agweddau uchod ar ymchwiliad, neu petai'r athrawon yn sôn wrth y plant am rai agweddau fel y gallont ganolbwyntio ar eraill. Serch hynny, ar rai achlysuron dylai'r disgyblion eu hunain gynnal yr holl broses ymchwilio ar eu pen eu hunain.

Dadansoddir yr enghreifftiau asesu a roddir ym mhennod 4 o safbwynt y disgrifiadau o lefelau, sy'n disgrifio cynnydd plant mewn perthynas â'r tair agwedd ganlynol: *cynllunio gwaith arbrofol, dod o hyd i dystiolaeth* ac *ystyried tystiolaeth*. Felly, mae'r tair hyn yn rhoi fframwaith ar gyfer arwain y plant ac ar gyfer asesu eu cynnydd mewn gwaith arbrofol ac ymchwiliol.

Cynllunio

2.1 Rhagarweiniad: cynllunio o safbwynt syniadau'r plant

Mae'n bosibl archwilio'r syniadau gwyddonol allweddol a geir yn y canllaw hwn mewn nifer o wahanol gyd-destunau, a gellir ymgorffori llawer o'r gweithgareddau mewn gwaith ar dopig trawsgwricwlaidd. Yn y bennod hon rhoddir un enghraifft o gynllunio topig. Rhoddir rhagor o wybodaeth am gynllunio yn y llawlyfr i gydgysylltwyr gwyddoniaeth.

Dylai athrawon sy'n defnyddio ymdriniaeth SPACE roi sylw i'r canlynol:

◆ yr angen i ddarganfod syniadau'r plant eu hunain, nid yn unig ar ddechrau'r gwaith ond hefyd o bryd i'w gilydd yn ystod y gwaith;
◆ pwysigrwydd cynllunio'r ymchwiliadau gyda'r plant, a defnyddio eu syniadau yn fan cychwyn;
◆ y cysyniadau sy'n cael eu harchwilio;
◆ i ba gyfeiriad y mae syniadau'r plant yn datblygu.

2.2 Topigau trawsgwricwlaidd

Gellir defnyddio mwy nag un topig i gyflwyno'r gweithgareddau sy'n archwilio'r syniadau ym maes *Creigiau, pridd a thywydd* a geir yn y canllaw hwn. Mae un enghraifft wedi ei chyflwyno ar ffurf taflenni cynllunio (tudalennau 15-16). Mae'n debygol y bydd athrawon yn dymuno addasu'r topigau i fanteisio ar yr adnoddau sydd ar gael yn lleol. Dyma rai awgrymiadau.

Ffermydd a ffermio

Beth yw fferm, sut mae ffermydd yn amrywio, a sut y maent wedi datblygu dros y canrifoedd? Trin lleiniau o dir yn y Canol Oesoedd; tyddynnod; ffermydd cymysg ac amaethu.
Sut mae ffermydd yn effeithio ar y tirwedd; sut olwg fyddai ar y tir pe na bai'n cael ei ffermio?
Tir comin. Hanes gwrychoedd, sut y cawsant eu plannu a'u defnyddio; dulliau eraill o amgáu tiroedd.
Ffermio mewn gwledydd eraill - cyfatebu cnydau â hinsawdd.
Y rhyngweithio rhwng anifeiliaid a phlanhigion, a defnyddio plaleiddiaid. Anifeiliaid sy'n rheoli plâu yn naturiol.
Defnyddio tir a chnydau – gwreiddiau, grawnfwyd, llaeth, defaid, ac ati.
Cyfatebu cnydau â'r math o bridd a'i ddyfnder. Paratoi'r pridd.
Gwaith ar wahanol adegau o'r flwyddyn.
Pa driniaethau a roddir i'r tir? Aredig. Gwrteithiau, hen a newydd. Rhoi maethynnau yn ôl yn y pridd.

Effeithiau tywydd ar ffermio – sychder a llifogydd.
Pridd wedi rhewi – manteision ac anfanteision.
Sut y mae cnydau a da byw wedi newid; magu anifeiliaid – bridio detholus.
Planhigion ar gyfer diben arbennig: gwrthsefyll haint, a chnydau da. Afal safonol yr Undeb Ewropeaidd – a yw'n syniad da?

Dyma rai cysylltiadau â chanllawiau athrawon a llyfrau disgyblion eraill yng nghyfres Gwyddoniaeth Gynradd Nuffield:

Prosesau bywyd – twf planhigion;
Pethau byw yn eu hamgylchedd – newidiadau i'r tirwedd o ganlyniad i ffermio, effeithiau gwrteithiau, pridd yn gynefin;
Amrywiaeth bywyd – pethau a arferai fod yn fyw ond sydd bellach yn pydru;
Y Ddaear yn y gofod – y tymhorau;
Defnyddiau – cymharu gwahanol fathau o greigiau.

Dŵr

Gwahanol fathau o gyflenwadau dŵr: heddiw, mewn gwahanol wledydd, ac yn y gorffennol.
Technoleg: cael dŵr yfed o ddŵr hallt.
Beth sy'n digwydd i ddŵr wrth iddo ferwi? Beth sy'n digwydd wrth iddo rewi?
Effeithiau dŵr ar dwf planhigion.
Effeithiau dŵr ar wahanol ddefnyddiau: hindreulio, erydu, hydoddedd.
Dŵr a phridd: traeniad.
Dŵr yn yr aer, mesur gwlybaniaeth/lleithder, dŵr a glaw.
Cymylau.
Gormod o ddŵr, prinder dŵr.
Fforestydd glaw a diffeithdiroedd.
Clefydau a gludir gan ddŵr.

Dyma rai cysylltiadau â chanllawiau athrawon a llyfrau disgyblion eraill yng nghyfres Gwyddoniaeth Gynradd Nuffield:

Defnyddiau a *Defnyddio egni* – dŵr mewn gwahanol gyflyrau, a newid cyflwr;
Pethau byw yn eu hamgylchedd – cyflenwad dŵr a dŵr gwastraff;
Amrywiaeth bywyd – angen dŵr i gynnal bywyd;
Prosesau bywyd – dŵr yn y corff dynol.

Aer

Codi yn yr aer: balwnau, awyrennau, adar.
Dringo mynydd uchel: yr aer yn 'teneuo', rhedeg mewn lleoedd uchel.
Mesur gwasgedd aer.
Ansawdd yr aer: mwg, mygdarth, niwl. Oson – ar lefel y ddaear ac yn uwch.
Cyfarpar anadlu: dan y môr, wrth ddiffodd tanau.
Aer yn symud: effeithiau'r gwynt.
Aer yn y pridd.
Gweithio dan y ddaear: aer mewn mwyngloddiau.
Nwy o sbwriel wedi'i gladdu.
Aer mewn dŵr – pysgod.

Dyma rai cysylltiadau â chanllawiau athrawon a llyfrau disgyblion eraill yng nghyfres Gwyddoniaeth Gynradd Nuffield:

Grymoedd a mudiant – disgyn trwy'r aer;

Prosesau bywyd – anadlu, ysmygu ac iechyd;
Pethau byw yn eu hamgylchedd – oson, llygredd aer, yr effaith tŷ gwydr;
Y Ddaear yn y gofod – y tu hwnt i'r aer!

2.3 Enghreifftiau o gynllunio topig

Mae'r cynlluniau ar dudalennau 15 ac 16 yn dangos sut y gellir defnyddio'r wyddoniaeth sy'n berthnasol i faes *Creigiau, pridd a thywydd* mewn topig trawsgwricwlaidd. Y topig a gyflwynir yw 'Dŵr', ac yn y cynllun cyntaf nodwyd cyfleoedd i archwilio mathemateg, iaith, hanes, daearyddiaeth, technoleg dylunio a chelf. Mae'r ail gynllun yn canolbwyntio ar yr agwedd wyddonol i ddangos meysydd y gellid eu harchwilio o fewn y topig yn gyffredinol. Mae'n bwysig cofio mai enghreifftiau yn unig yw'r rhain, a bod llawer o bosibiliadau eraill.

2.4 Defnyddio technoleg gwybodaeth

Nodir cyfleoedd i ddefnyddio technoleg gwybodaeth trwy roi'r symbol hwn ar ymyl y dudalen a chyfeiriadau ato yn y testun. Mae'r enghreifftiau yn cynnwys:

◆ defnyddio prosesu geiriau i baratoi adroddiadau ar ymchwiliadau neu roi adroddiad am y tywydd;
◆ defnyddio cronfeydd data syml i gofnodi a dadansoddi'r data a gesglir am bridd, creigiau a'r tywydd;
◆ defnyddio allwedd i adnabod creigiau a phridd;
◆ defnyddio synhwyrydd ynghyd â chyfrifiadur i ganfod a mesur tymheredd.

2.5 Llyfrau disgyblion

Enw'r llyfrau i ddisgyblion sy'n mynd gyda'r canllaw hwn yw *Creigiau, pridd a thywydd* ar gyfer y plant iau a *Rhagor am greigiau, pridd a thywydd* i'r disgyblion hŷn. Cafodd llyfrau'r disgyblion eu cynllunio i'w defnyddio fesul uned o ddwy dudalen. Nid yw'r unedau mewn trefn arbennig, ac ymdrinnir â hwy yn y nodiadau hyn mewn trefn thematig.

Ymhlith nodweddion llyfrau'r disgyblion y mae:
◆ Unedau symbylus, yn aml yn weledol, â'r bwriad o godi cwestiynau, annog chwilfrydedd, a hybu trafodaeth.

◆ Unedau gwybodaeth, sy'n cyflwyno deunydd ffynhonnell eilaidd mewn ffordd eglur a deniadol.

◆ Syniadau am weithgareddau, i fod yn sail ymchwiliadau i'w cynnal gan y plant.

◆ Unedau trawsgwricwlaidd a storïau sy'n gallu bod yn sail ar gyfer ysgrifennu creadigol, neu unedau â ffocws hanesyddol neu greadigol.

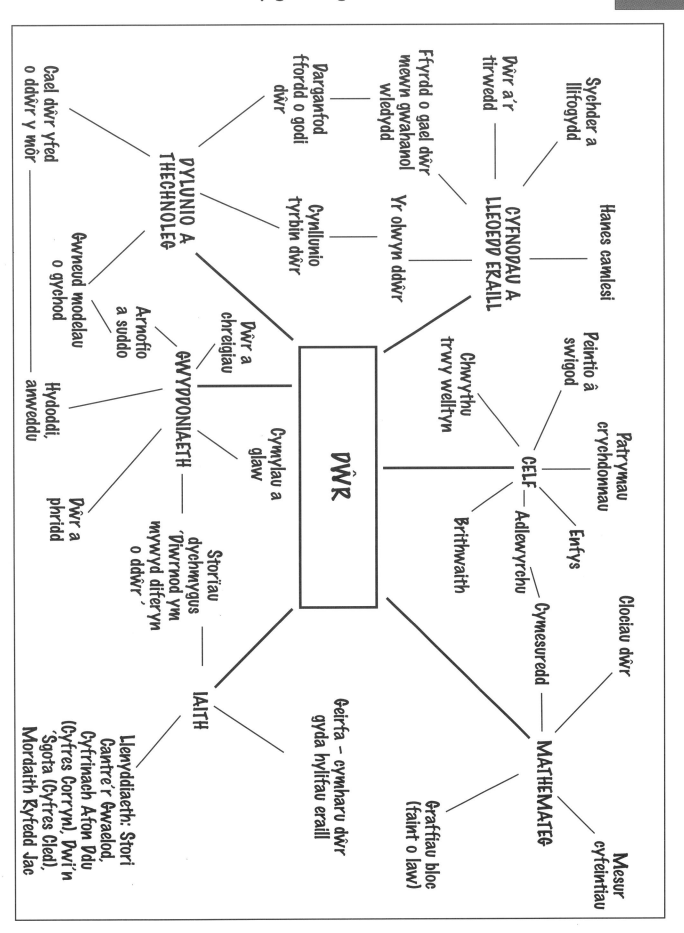

DŴR

CYFNODAU A LLEOEDD ERAILL
- Sychder a llifogydd
- Dŵr a'r tirwedd
- Hanes camlesi
- Ffyrdd o gael dŵr mewn gwahanol wledydd
- Yr olwyn ddŵr

DYLUNIO A THECHNOLEG
- Darganfod ffordd o godi dŵr
- Cynllunio tyrbin dŵr
- Cael dŵr yfed o ddŵr y môr
- Gwneud modelau o gychod
- Arnofio a suddo
- Hydoddi, anweddu

GWYDDONIAETH
- Dŵr a chreigiau
- Cymylau a glaw
- Storïau dychmygus 'Diwrnod yn mywyd diferyn o ddŵr'
- Dŵr a phridd

CELF
- Chwythu trwy wellryn
- Peintio â swigod
- Patrymau crychdonnau
- Enfys
- Adlewyrchu
- Brithwaith

MATHEMATEG
- Cymesuredd
- Clociau dŵr
- Mesur cyfeintiau
- Graffiau bloc (faint o law)

IAITH
- Geirfa – cymharu dŵr gyda hylifau eraill
- Llenyddiaeth: Stori Cantre'r Gwaelod, Cyfrinach Afon Ddu (Cyfres Corryn), Dwi'n 'Sgota (Cyfres Cled), Mordaith Ryfedd Jac

Gwyddoniaeth o fewn topig trawsgwricwlaidd

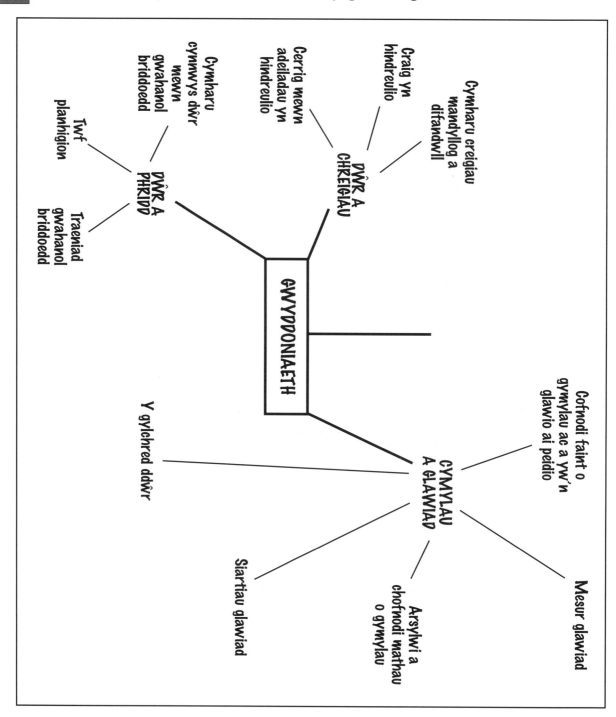

◆ Enghreifftiau o ddefnyddio gwyddoniaeth mewn bywyd bob-dydd.

Creigiau, pridd a thywydd

Fferm yn Nyfnaint tudalennau 4-5

Diben: Rhoi cyd-destun go iawn i drafodaeth ynglŷn â defnyddio tir, i gysylltu hinsawdd ac amaethyddiaeth a chyflwyno cefndir cyfarwydd i blant o ardaloedd gwledig.
Gweithgareddau estynedig: Holi beth yw plaleiddiaid, a pham mae angen i ffermwyr eu defnyddio. Gellir trafod materion amgylcheddol yn ymwneud â defnyddio cemegion a gwrteithiau naturiol – gweler y testun.
Croesgyfeirio yn y Canllawiau Athrawon: Creigiau, pridd a thywydd, tudalennau 12, 54; *Prosesau bywyd,* tudalen 86.

Creigiau o gwmpas y tŷ tudalennau 10-11

Diben: Cyflwyno creigiau mewn bywyd bob-dydd.
Cwestiynau i'w trafod: Gallai'r plant restru'r holl fannau lle gwelant greigiau a thynnu lluniau o'r creigiau a welant gartref. Trafodwch syniadau'r plant am darddiad metelau. (Maent i'w cael mewn creigiau, a rhaid eu mwyngloddio.)
Croesgyfeirio yn y Canllawiau Athrawon: Creigiau, pridd a thywydd, tudalennau 55; *Defnyddiau,* tudalennau 15, 74-78.

Creu creigiau tudalennau 14-15

Diben: Annog y plant i fod yn frwdfrydig ynglŷn â chreigiau.
Nodiadau: Craig waddod yw'r graig yn Lyme Regis (diffinnir y term yn yr adran Geirfa yn *Rhagor am greigiau, pridd a thywydd*). Craig igneaidd yw'r graig a ddaw o losgfynydd.
Gweithgaredd estynedig: Rhoi enghreifftiau o greigiau i'r plant eu harchwilio.
Croesgyfeirio yn y Canllawiau Athrawon: Creigiau, pridd a thywydd, tudalennau 33-34, 40, 58, 87; *Defnyddiau,* tudalen 35.

Colli creigiau tudalennau 20-21

Diben: Dangos nad yw creigiau yn para am byth, ond eu bod yn cael eu herydu a'u 'hindreulio'.
Gweithgareddau estynedig: Edrych ar enghreifftiau yn y newyddion yn sôn am erydu a thirwedd yn newid. Gallai'r plant restru'r gwahanol ffyrdd y gall erydu ddigwydd.
Croesgyfeirio yn y Canllaw Athrawon: Creigiau, pridd a thywydd, tudalennau 15, 33-34, 41, 59.

Byd llawn o bobl tudalennau 18-19

Diben: Man cychwyn ar gyfer trafod sut y mae gweithgaredd dynol yn newid arwyneb y Ddaear.
Gweithgaredd estynedig: Gallai'r plant archwilio gwahanol effeithiau gweithgaredd pobl ar eu hamgylchedd lleol, er enghraifft adeiladau, parciau, ffermio ac ati.
Croesgyfeirio yn y Canllaw Athrawon: Creigiau, pridd a thywydd, tudalennau 12-13.

Y gwynt a'r tywydd tudalennau 2-3

Diben: Ateb y cwestiwn pam y mae gwahanol fathau o dywydd yng ngwledydd Prydain ac mewn rhannau eraill o'r byd.

Gweithgaredd estynedig: Gallai'r plant adeiladu dyfais i ddarganfod cyfeiriad y gwynt, a'i defnyddio i ddarganfod a yw'r gwynt yn effeithio ar y tywydd, a sut. Trwy wneud hynny gellid rhoi cyfle iddynt roi prawf ar ddamcaniaeth.

Croesgyfeirio yn y Canllaw Athrawon: Creigiau, pridd a thywydd, tudalennau 62 a 70.

Y dŵr, y gwynt a'r plant tudalennau 6-7

Diben: Darparu cyfleoedd am waith trawsgwricwlaidd mewn Cymraeg.

Nodyn: Dyma stori draddodiadol Affro-Caribïaidd o Florida.

Gweithgaredd estynedig: Gallai'r plant ddyfeisio eu stori eu hunain am y tywydd a throi honno – neu'r stori a roddir yma – yn ddawns.

Croesgyfeirio yn y Canllaw Athrawon: Creigiau, pridd a thywydd, tudalennau 15, 72-73.

Hanes corn melys tudalennau 8-9

Diben: Annog y plant i ystyried sut y mae planhigion yn tyfu a phwysigrwydd hinsawdd i ffermwyr.

Nodyn: Eglurwch fod rhai cnydau wedi'u tyfu i greu gwahanol rywogaethau – weithiau'n naturiol, trwy fridio detholus, ac weithiau trwy beirianneg enetig.

Cwestiynau i'w trafod: Pam mae tyfu corn melys yn gweddu yn America? Pam nad yw llawn mor addas ei dyfu yng ngwledydd Prydain? Allwch chi feddwl am resymau pam y gellir ei dyfu yng ngwledydd Prydain erbyn hyn? (Rhywogaethau newydd, newid yn yr hinsawdd.)

Gweithgareddau estynedig: Gofynnwch i'r plant a oes ganddynt ardd neu lecyn o dir ac a ydynt yn tyfu unrhyw beth i'w fwyta – ffa dringo neu domatos, er enghraifft. Trafodwch pam mae'n rhaid mewnforio rhai mathau o ffrwythau a llysiau ar rai adegau o'r flwyddyn, os nad drwy'r amser. Pam, er enghraifft, rydym yn cael ffa gwyrdd o Kenya?

Croesgyfeirio yn y Canllaw Athrawon: Creigiau, pridd a thywydd, tudalennau 12-13, 54, 72-73.

Dŵr yn yr aer tudalennau 12-13

Diben: Cyfleu'r cysyniad fod yr aer yn dal dŵr ar ffurf diferion y gellir eu gweld (niwl ac ager/stêm) yn ogystal ag anwedd anweledig (nwy).

Nodyn: Gwnewch yn siŵr nad yw'r plant yn credu bod dŵr hylif rywsut yn cael ei 'sugno' i'r aer.

Cwestiynau i'w trafod: Lle'r ydych chi wedi gweld dŵr yn yr aer? (Ar ffurf cymylau neu law.) Ydych chi wedi gweld niwl (diferion dŵr) mewn ystafell ymolchi, er enghraifft, neu wrth i degell ferwi?

Gweithgareddau estynedig: Cynnal arbrofion ar olchi a sychu. (Defnyddiwch ganllaw athrawon *Defnyddio egni*.) Gallai'r plant restru ffyrdd o helpu pethau sychu – defnyddio sychwr gwallt, er enghraifft.

Croesgyfeirio yn y Canllawiau Athrawon: Creigiau, pridd a thywydd, tudalennau 13, 15, 66, 93; *Defnyddio egni*, tudalennau 47-49.

Sut dywydd fydd hi yfory? tudalennau 16-17

Diben: Disgrifio dulliau o broffwydo'r tywydd cyn oes y lloerennau neu ddulliau modern eraill; rhoi man cychwyn i'r plant drafod ofergoelion traddodiadol am y tywydd a'r tymhorau.

Cwestiynau i'w trafod: Sut byddwn ni'n dweud sut dywydd sydd o'n blaenau? Beth fyddem ni'n ei wneud petai dim rhagolygon y tywydd? Sut gallwn ni ddweud pa adeg o'r flwyddyn yw hi, heb ddefnyddio calendr?

Croesgyfeirio yn y Canllaw Athrawon: Creigiau, pridd a thywydd, tudalen 72.

Byw yn India'r Gorllewin tudalennau 22-23

Diben: Annog y plant i feddwl am fywyd yn India'r Gorllewin ac am y ffordd y mae rhai planhigion yn tyfu mewn mwy nag un wlad a hinsawdd (gweler y ffrwythau/llysiau yn y llun).

Cwestiynau i'w trafod: Pa ffrwythau a llysiau y mae'r plant yn eu hadnabod? (tatws melys, iam, melon, moron, pwmpen, orenau, nionod.) Pa rai y gellid eu tyfu yng ngwledydd Prydain? (Nionod, moron, tomatos, sibols.)

Gweithgareddau estynedig: Gwnewch gysylltiad â gwaith mewn daearyddiaeth. Gallai'r plant ysgrifennu stori am ddiwrnod neu benwythnos ym mywyd Velma. Cymharwch y gwahaniaethau a'r tebygrwydd rhwng gwledydd Prydain a'r Caribî. (Y ferandas, faint o ffrwythau a llysiau a dyfir, y corwyntoedd, dillad y mae pobl yn eu gwisgo – pam nad oes angen côt yn y glaw?) Mae'n bosibl y bydd gan rai plant deulu yn India'r Gorllewin neu fod rhai wedi bod yno eu hunain ac yn gallu cyfrannu at y drafodaeth. Gofynnwch i'r plant ddisgrifio corwynt.

Croesgyfeirio yn y Canllaw Athrawon: Creigiau, pridd a thywydd, tudalennau 12, 15, 72.

Rhagor am greigiau, pridd a thywydd

Twnel y Sianel tudalennau 4-5

Diben: Defnyddio cyd-destun cyfoes i ddangos creigiau dan y môr ac egluro pwysigrwydd gwybod amdanynt ar gyfer project peirianyddol neu waith adeiladu.

Cwestiynau i'w trafod: Sut y daeth dwy ran y twnel at ei gilydd? Pam na chafodd y twnel ei adeiladu am gynifer o flynyddoedd ar ôl y cynllun gwreiddiol? (Roedd rhesymau gwleidyddol yn ei rwystro yn y 19eg ganrif, ac roedd y gost yn siŵr o fod yn enfawr.)

Gweithgaredd estynedig: Darganfod a chymharu y costau a'r amser a gymerir i deithio trwy'r twnel, ar fferi neu mewn awyren a thrafod manteision ac anfanteision pob siwrnai.

Croesgyfeirio yn y Canllaw Athrawon: Creigiau, pridd a thywydd, tudalen 47.

Tirffurfiau tudalennau 6-7

Diben: Uned 'wow', am dirffurfiau trawiadol.

Nodyn: Mae'r lluniau yn dangos enghreifftiau o greigiau igneaidd (Sarn y Cewri) a chraig waddod (y Grand Canyon a Chilan Lulworth).

Croesgyfeirio yn y Canllaw Athrawon: Creigiau, pridd a thywydd, tudalennau 33-34, 42-43, 58-59.

Oed y bryniau tudalennau 8-9

Diben: Parhau â'r uned flaenorol – uned 'wow' i ddangos bod y Ddaear wedi'i gwneud o haenau.
Gweithgaredd estynedig: Llunio llinell amser am adeg ffurfio creigiau a mynyddoedd.
Croesgyfeirio yn y Canllaw Athrawon: Creigiau, pridd a thywydd, tudalennau 33, 41, 58-59.

Mynydd Pinatubo tudalennau 12-13

Diben: Cyflwyno eitem o newyddion mewn ffordd y gall y dosbarth uniaethu â hi.
Nodyn: Eglurwch i'r plant beth yw UNICEF.
Cwestiynau i'w trafod: Pwy sy'n adrodd y stori hon? Pwy fyddai'n ysgrifennu stori fel hyn fel arfer? (Newyddiadurwr neu oedolyn arall, mae'n debyg.)
Gweithgareddau estynedig: Siaradwch am losgfynydd – sut mae'n edrych, ei arogl, ac ati. Gallai'r plant ysgrifennu cerddi am losgfynydd, wedi'u hysbrydoli gan eu teimladau a'u synhwyrau – gweld, cyffwrdd, clywed, arogli ac ati. Gofynnwch i'r plant feddwl am bethau y gallai gweddill y byd eu darparu, sut y dylai pobl ymateb i drychinebau naturiol, ac ati.
Croesgyfeirio yn y Canllaw Athrawon: Creigiau, pridd a thywydd, tudalen 34, 43, 83.

Mwynau tudalennau 16-17

Diben: Helpu'r plant ddeall ystyr 'mwynau', (mae'n ymddangos yn yr eirfa ar ddiwedd y llyfr disgybl) a'r cysylltiad rhwng mwynau a chreigiau.
Gweithgaredd estynedig: Rhowch gasgliad o greigiau i'r dosbarth eu harchwilio. Gofynnwch i'r plant restru'r mwynau. Gofynnwch i'r dosbarth edrych ar wahanol boteli o ddŵr mwynol a chymharu'r rhestrau o 'gynhwysion'.
Croesgyfeirio yn y Canllaw Athrawon: Creigiau, pridd a thywydd, tudalennau 56, 82-83.

Pridd ai peidio? tudalennau 10-11

Diben: Cywiro camargraff mawr sydd gan blant yn aml, sef y syniad (anghywir) fod planhigion wedi'u gwneud o bridd.
Cwestiynau i'w trafod: A oes angen pridd ar blanhigyn i dyfu mewn gwirionedd. Beth sy'n digwydd i blanhigion os nad yw'n bwrw glaw?
Gweithgaredd estynedig: Tyfu hadau planhigion mewn gwahanol gyfryngau twf, fel gwlân cotwm, papur, pridd, dŵr ac ati.
Croesgyfeirio yn y Canllaw Athrawon: Creigiau, pridd a thywydd, tudalennau 12, 54.

Pydru byw tudalennau 14-15

Diben: Uned drafod i helpu'r plant feddwl am adeiledd pridd a'r pethau byw sydd i'w cael mewn pridd.
Gweithgaredd estynedig: Dod â gwahanol fathau o blanhigion a phridd i'r dosbarth, a throi at dudalennau 40-41 y canllaw hwn am gwestiynau addas i'w gofyn i'r plant.
Croesgyfeirio yn y Canllaw Athrawon: Creigiau, pridd a thywydd, tudalennau 31, 48-49, 52, 84

Gwlyb tudalennau 2-3

Diben: Cyflwyno'r gylchred ddŵr.
Nodiadau: Mae dŵr yn newid o fod yn anwedd i fod yn ddŵr hylif, yna'n iâ/rhew ac yn ôl yn ddŵr drachefn.
Gweithgareddau estynedig: Gallai'r plant ystyried y broses o waredu gwastraff. Gallent ddyfeisio a llwyfannu dawns neu ddrama ar thema'r gylchred ddŵr.
Croesgyfeirio yn y Canllawiau Athrawon: Creigiau, pridd a thywydd, tudalennau 13, 71, 93; *Defnyddiau,* tudalennau 52-53, 99-100.

Syr Stormydd tudalennau 18-19

Diben: Annog y plant i ystyried pa mor bwysig yw'r tywydd o safbwynt gweithgaredd dynol a hanes.
Gweithgareddau estynedig: Gallai'r plant edrych ar y stori hon o wahanol safbwyntiau – o safbwynt y Sbaenwyr, neu longwyr Lloegr. Cymharu'r fersiwn hon â fersiynau eraill o'r stori lle nad oes sôn am y tywydd.
Croesgyfeirio yn y Canllaw Athrawon: Creigiau, pridd a thywydd, tudalen 72.

Gwraig y tywydd tudalennau 20-21

Diben: Disgrifio swydd rhywun go-iawn. Dyma hanes Eleanor, sy'n paratoi rhagolygon y tywydd.
Nodyn: Gallech ddechrau trwy drafod pwy sydd angen gwybod am y tywydd – o ran eu gwaith, er enghraifft.
Gweithgareddau estynedig: Gallai'r plant restru dyfeisiau a ddefnyddir i gasglu data am y tywydd, a darganfod sut y mae'r rhain yn trosglwyddo gwybodaeth. Pa fath o wybodaeth rydym yn ei derbyn yn rhagolygon y tywydd? Gan ddefnyddio offer synhwyro yr ysgol dros gyfnod o 24 awr, gellid llunio graff sy'n dangos tymheredd dros gyfnod o amser.
Croesgyfeirio yn y Canllaw Athrawon: Creigiau, pridd a thywydd, tudalennau 68-71.

Ydi hinsawdd y byd yn newid? tudalennau 22-23

Diben: Uned drafod i roi gwybodaeth am yr amgylchedd.
Gweithgareddau estynedig: Trafodwch bwysigrwydd coed i'r tirwedd a systemau tywydd – gallai'r plant ddarganfod mwy am hyn. Trafodwch pam y cafodd yr hen fforest law ym Malaysia ei thorri a sut y gallai hyn effeithio ar y tywydd.
Cwestiynau i'w trafod: Gallai'r plant edrych ar logiau neu ddarnau o bren i chwilio am y cylchoedd a ddisgrifir ar dudalen 23.
Croesgyfeirio yn y Canllaw Athrawon: Creigiau, pridd a thywydd, tudalen 72.

2.6 Cynllunio eich rhaglen wyddoniaeth yn yr ysgol

Mae'r tudalennau canlynol yn rhoi enghreifftiau o sut yr aeth dwy ysgol ati i gynllunio eu rhaglen wyddoniaeth ar gyfer Cyfnod Allweddol 2 i gyd. Mae cynllunio o'r fath yn gymorth i roi parhad a chynnydd i addysg wyddoniaeth y plant. Trafodir datblygu rhaglenni o'r fath i ysgolion cyfan yn llawnach yn y llawlyfr i gydgysylltwyr gwyddoniaeth.

Mae pob cynllun yn bodloni gofynion y Cwricwlwm Cenedlaethol yng Nghyfnod Allweddol 2 ac yn dangos pa themâu yn llyfrau Canllaw Athrawon Gwyddoniaeth Gynradd Nuffield a ddefnyddiwyd gan yr athrawon dosbarth i gynllunio'r pwnc yn fanwl.

Enghraifft 1 (tudalen 23)

Mae'r ysgol gynradd hon mewn ardal lled wledig a chanddi gyfanswm o 170 o blant. Nid oes grwpiau oed cymysg yn yr ysgol. Mae peth gorgyffwrdd yn y cynllun er mwyn i ddisgyblion gael cyfleoedd i aildrafod cysyniadau ac adeiladu ar brofiadau blaenorol.

Yn gyffredinol, cafodd y cwricwlwm ei gynllunio o amgylch topigau sy'n tarddu o hanes yn nhymor yr Hydref, gwyddoniaeth yn nhymor y Gwanwyn a daearyddiaeth yn nhymor yr Haf. Felly, manteisir ar bob cyfle i ddatblygu cysylltiadau trawsgwricwlaidd, ond os yw hynny'n anaddas mae topigau bach pwnc-benodol yn cael eu cynllunio. Dim ond y rhannau gwyddonol a ddysgir bob tymor sy'n cael eu dangos gyferbyn.

Enghraifft 2 (tudalen 24)

Mae'r ysgol drefol hon wedi adolygu ei rhaglen wyddoniaeth yn ddiweddar er mwyn annog cynnydd yn y cysyniadau a gyflwynir ac osgoi ailadrodd yr un gweithgareddau. Roedd yr athrawon yn awyddus i gael arweiniad ond roedd arnynt hefyd eisiau hyblygrwydd, er mwyn iddynt gael datblygu'r topigau mewn ffordd a oedd yn briodol i'r plant yn eu dosbarth.

Teimlwyd hefyd y dylid ymdrin â rhai cysyniadau nad ydynt o anghenraid yn cael eu cynnwys yn y Cwricwlwm Cenedlaethol, e.e. Tymhorau. Felly, cynhwysir topigau addas yn y rhaglen.

Mae tymor yr Haf ym Mlwyddyn 6 yn wag i roi amser ar gyfer TASau ac i athrawon gael datblygu diddordebau'r plant ymhellach.

Enghraifft 1

	TYMOR YR HYDREF	TYMOR Y GWANWYN	TYMOR YR HAF
BLWYDDYN 3	Y Ddaear a thu hwnt/Magnetedd	Fi fy hun	Gwasanaeth i'n cartrefi
Canllaw Athrawon Gwyddoniaeth Gynradd Nuffield	Y Ddaear yn y gofod 3.1, 3.2, 3.3 Trydan a magnetedd 3.4	Prosesau bywyd 3.1, 3.2, 3.3 Amrywiaeth bywyd 3.2 Goleuni 3.1	Trydan a magnetedd 3.1, 3.2, 3.3 Defnyddiau 3.1 Defnyddio egni 3.2
Rhaglen Astudio †	Gw4:4a, b, c, d; Gw4:2a	Gw2:1a; 2a, b, e, f; Gw4:3a, d	Gw3:1a, b, c; Gw4:1a, b, c
BLWYDDYN 4	Sain a cherddoriaeth/ Mecanweithiau	Cynefinoedd	Adeiladu amgylchedd
Canllaw Athrawon Gwyddoniaeth Gynradd Nuffield	Sain a cherddoriaeth 3.1, 3.2 Defnyddio egni 3.3	Amrywiaeth bywyd 3.1 Prosesau bywyd 3.4 Pethau byw yn eu hamgylchedd 3.1, 3.2	Defnyddiau 3.2, 3.3 Defnyddio egni 3.1
Rhaglen Astudio †	Gw4:3e, f, g; Gw4:2d, e	Gw2:1b; 3a, b, c, d; 4a; Gw3:1d	Gw3:1e; 2a, b, c, d
BLWYDDYN 5	Trydan/Cychwyn a stopio	Strwythurau	Y Ddaear a'r atmosffer/Goleuni
Canllaw Athrawon Gwyddoniaeth Gynradd Nuffield	Trydan a magnetedd 3.2, 3.3 Grymoedd a mudiant 3.1, 3.2	Defnyddiau 3.1, 3.2, 3.3 Creigiau, pridd a thywydd 3.1 Amrywiaeth bywyd 3.3	Creigiau, pridd a thywydd 3.2 Y Ddaear yn y gofod 3.1, 3.2, 3.3, 3.4 Goleuni 3.2, 3.3
Rhaglen Astudio †	Gw4:1a, b, c, d; Gw4:2b, c	Gw3:1b, d; 2f; 3a, b, c, d, e	Gw3:2e; Gw4:4a, b, c, d; Gw4:3a, b, c
BLWYDDYN 6	Y corff dynol/Cadw'n iach	Grymoedd	Ein hamgylchedd
Canllaw Athrawon Gwyddoniaeth Gynradd Nuffield	Prosesau bywyd 3.2, 3.3 Amrywiaeth bywyd 3.2	Grymoedd a mudiant 3.1, 3.2, 3.3, 3.4 Trydan a magnetedd 3.4 Defnyddio egni 3.3	Pethau byw yn eu hamgylchedd 3.2, 3.3, 3.4
Rhaglen Astudio †	Gw2:2c, d, g, h	Gw4:2a, b, c, d, e, f, g, h	Gw2:5a, b, c, d, e

† Ar gyfer y siartiau hyn, cafodd y cyfeiriadau at adrannau o'r

Rhaglen Astudio eu talfyrru fel a ganlyn:

Gw2 = Prosesau Bywyd a Phethau Byw

Gw3 = Defnyddiau a'u Priodweddau

Gw4 = Prosesau Ffisegol

Enghraifft 2

	TYMOR YR HYDREF		TYMOR Y GWANWYN		TYMOR YR HAF	
BLWYDDYN 3	Y Ddaear ac amser	Adlewyrchu a chysgodion	Beth sydd dan ein traed?	Pethau'n symud	Amrywiaeth bywyd	Cynefinoedd
Canllaw Athrawon Gwyddoniaeth Gynradd Nuffield	Y Ddaear yn y gofod 3.1, 3.2	Goleuni 3.2	Creigiau, pridd a thywydd 3.1 Pethau byw yn eu hamgylchedd 3.3	Grymoedd a mudiant 3.1	Amrywiaeth bywyd 3.1	Pethau byw yn eu hamgylchedd 3.1
Rhaglen Astudio †	Gw4:4a, b, c, d	Gw4:3a, b, c	Gw2:5e; Gw3:1d	Gw4:2a, b, c, d, e	Gw2:1a, b; 4a	Gw2:5a, b
BLWYDDYN 4	Grymoedd ffrithiannol	Poeth ac oer	Defnyddiau a'u priodweddau	Seiniau	Tyfu	Trydan
Canllaw Athrawon Gwyddoniaeth Gynradd Nuffield	Grymoedd a mudiant 3.2	Defnyddio egni 3.1	Defnyddiau 3.1	Sain a cherddoriaeth 3.1	Prosesau bywyd 3.1, 3.4	Trydan a magnetedd 3.1, 3.2, 3.3
Rhaglen Astudio †	Gw4:2b, c, f, g, h	Gw3:2b, c	Gw3:1a, b, e	Gw4:3e, f	Gw2:3a, b, c, d	Gw3:1c; Gw4:1a, b, c
BLWYDDYN 5	Y Ddaear a Chysawd yr Haul	Tywydd a'i effeithiau	Perthnasoedd bwydo	Amrywiad unigolion	Ffynonellau goleuni	Sain yn teithio
Canllaw Athrawon Gwyddoniaeth Gynradd Nuffield	Y Ddaear yn y gofod 3.1, 3.2, 3.3	Creigiau, pridd a thywydd 3.1, 3.2	Pethau byw yn eu hamgylchedd 3.2, 3.3	Amrywiaeth bywyd 3.2	Goleuni 3.1	Sain a cherddoriaeth 3.2
Rhaglen Astudio †	Gw4:4c, d	Gw3:1d; 2e	Gw2:5c, d, e	Gw2:4a; 5a	Gw4:3a, b, c, d	Gw4:3e, f, g
BLWYDDYN 6	Grymoedd a mudiant	Prosesau bywyd	Trydan	Defnyddiau		
Canllaw Athrawon Gwyddoniaeth Gynradd Nuffield	Grymoedd a mudiant 3.3, 3.4	Prosesau bywyd 3.2, 3.3	Trydan a magnetedd 3.1, 3.2, 3.3	Defnyddiau 3.2, 3.3		
Rhaglen Astudio †	Gw4:2d, e, f, g, h	Gw2:2a, b, c, d, e, f, g, h	Gw4:1c, d	Gw3:2a, b, d, f; 3a, b, c, d, e		

2.7 Adnoddau

Dylid manteisio'n llawn ar dir yr ysgol neu ar lecynnau o dir agored gerllaw.

Bydd union natur yr adnoddau a fydd yn angenrheidiol yn dibynnu ar syniadau'r plant a'r dulliau a ddyfeisiant i roi prawf ar y syniadau hynny. Mae'r rhestr ganlynol yn rhoi syniad cyffredinol o'r adnoddau sy'n angenrheidiol i gynnal yr ymchwiliadau a ddangosir yn y canllaw hwn.

Poteli plastig tryloyw
Twndisiau (wedi'u torri o boteli plastig)
Jariau tryloyw (gyda chaead yn sgriwio)
Thermomedrau
Lensys llaw
Gefail
Menig
Rhaw, trywel
Bagiau plastig tryloyw (a chynwysyddion eraill i gasglu pridd)
Samplau o bridd o wahanol leoedd yng ngwledydd Prydain
Samplau o greigiau
Lluniau o ffurfiau craig, ardaloedd creigiog, creigiau enwog, gemau ac ati.
Llyfrau, fideos, pamffledi a phosteri yn rhoi gwybodaeth am greigiau, pridd a thywydd.

2.8 Rhybuddion

Tynnir sylw at weithgareddau sy'n galw am ofal arbennig trwy gyfrwng y symbol hwn ar ymyl y dudalen. Dylid gwneud popeth o fewn eich gallu i sicrhau diogelwch y plant yn ystod eu hymchwiliadau. Dylech ddarllen unrhyw ganllawiau a ddarperir gan eich Awdurdod Addysg Lleol eich hun ac, os yw eich ysgol neu AALl yn aelod, gan CLEAPSS. Gweler hefyd y cyhoeddiad gan y Gymdeithas dros Addysg Wyddonol (ASE) *Be safe! some aspects of safety in school science and technology for Key Stages 1 and 2* (ail argraffiad, 1990). Mae ynddo gyngor mwy manwl nag y gellir ei gynnwys yma.

Rhaid trefnu ac arolygu gwaith maes ac ymweliadau yn ofalus, gan gadw at ganllawiau eich ysgol neu AALl.

Rhaid i blant beidio ag edrych yn uniongyrchol ar yr Haul wrth astudio'r tywydd.

Ni ddylai'r plant roi cynnig ar hollti creigiau. Os oes angen gwneud hynny o gwbl, yr athrawon a ddylai wneud gan ddefnyddio morthwyl daeareg a sbectol ddiogelwch. Ni ddylai plant fod yn agos ar y pryd.

Byddwch yn ofalus wrth archwilio priddoedd, oherwydd mae'n bosibl eu bod wedi'u heintio â gwrteithiau a phlaleiddiaid. Gall pridd sy'n cynnwys baw cŵn neu faw cathod drosglwyddo llyngyr tocsocara sy'n gallu eich dallu. Ni ddylai plant ymdrin ag unrhyw fath o bridd os na chawsant bigiad tetanws.

Mae'n anghyfreithlon dod â phridd i'r wlad hon o wledydd tramor.

Archwilio creigiau, pridd a thywydd

Trefnydd themâu
CREIGIAU, PRIDD A THYWYDD

CREIGIAU A PHRIDDOEDD

Mae amrywiaeth eang o greigiau a phriddoedd.

Mae cramen y Ddaear – ei phlisgyn allanol – wedi'i gwneud o graig, sydd weithiau wedi'i gorchuddio gan bridd neu ddŵr.

Gall nifer o ffactorau, er enghraifft gwynt, glaw a phethau byw, achosi i greigiau newid a malu'n ddarnau bach, darnau y gall gwynt a dŵr eu cario ymaith.

3.1

Mae pridd yn cael ei ffurfio o ddarnau bach iawn o greigiau ynghyd â defnyddiau a ddaw wrth i bethau byw bydru, yn enwedig planhigion.

*Gellir rhannu creigiau yn dri math sylfaenol – sef igneaidd, gwaddod a metamorffig – gan ddibynnu ar sut y cafodd y graig ei ffurfio.

*Mae priodweddau pridd yn dibynnu ar natur y graig y gwnaed y pridd ohono a'r prosesau oedd ynghlwm wrth ei ffurfio.

*Mae cramen y Ddaear wedi'i gwneud o slabiau caled o'r enw platiau sy'n gallu symud, gan arwain at ddaeargrynfâu, gweithgaredd folcanig a newidiadau eraill yn arwyneb y Ddaear.

TYWYDD

3.2

*Mae'r tywydd yn newid o ddydd i ddydd ac mae i'r tywydd batrymau sy'n gysylltiedig â newidiadau tymhorol.

*Mae'r tywydd a newidiadau tymhorol yn cael effaith sylweddol ar yr amgylchedd ac yn dylanwadu ar ymddygiad popeth byw.

*Mae newidiadau yn y tywydd yn digwydd oherwydd effeithiau'r Haul yn gwresogi, a symudiad aer yn yr atmosffer o ganlyniad i hynny.

(*Mae seren yn nodi syniadau a ddatblygir yn llawnach mewn cyfnodau allweddol diweddarach.)

SYNIADAU ALLWEDDOL

◆ Mae amrywiaeth eang o greigiau a phriddoedd.

◆ Mae cramen y Ddaear – ei phlisgyn allanol – wedi'i gwneud o graig, sydd weithiau wedi'i gorchuddio gan bridd neu ddŵr.

◆ Gall nifer o ffactorau, er enghraifft gwynt, glaw a phethau byw, achosi i greigiau newid a malu'n ddarnau bach, darnau y gall gwynt a dŵr eu cario ymaith.

◆ Mae pridd yn cael ei ffurfio o ddarnau bach iawn o greigiau ynghyd â defnyddiau a ddaw wrth i bethau byw bydru, yn enwedig planhigion.

◆ *Gellir rhannu creigiau yn dri math sylfaenol – sef igneaidd, gwaddod a metamorffig – gan ddibynnu ar sut y cafodd y graig ei ffurfio.

◆ *Mae priodweddau pridd yn dibynnu ar natur y graig y gwnaed y pridd ohono a'r prosesau oedd ynghlwm wrth ei ffurfio.

◆ *Mae cramen y Ddaear wedi'i gwneud o slabiau caled o'r enw platiau sy'n gallu symud, gan arwain at ddaeargrynfâu, gweithgaredd folcanig a newidiadau eraill yn arwyneb y Ddaear.

(*Mae seren yn nodi syniadau a ddatblygir yn llawnach mewn cyfnodau allweddol diweddarach.)

GOLWG AR
greigiau a phriddoedd

Craig yw cramen y Ddaear. Mae'r graig wedi'i gorchuddio â dŵr mewn rhai mannau ac â phridd mewn mannau eraill. Yng nghrombil y Ddaear mae'r graig yn hylif, ond o amgylch y graig hylif mae haen gymharol denau o graig solid. Mae gwahanol fathau o greigiau i'w cael. Nid ydynt wedi bodoli erioed ond cawsant eu ffurfio mewn gwahanol ffyrdd.

Dros gyfnodau maith, mae creigiau yn gallu malu'n ddarnau llai. Gall dŵr dreiddio i'r graig. Os bydd y dŵr yn rhewi gall hollti'r graig, gan fod dŵr yn ehangu wrth droi'n iâ. Mae dŵr hefyd yn gallu ymosod ar rai mathau o greigiau yn uniongyrchol a'u newid yn ffurf sy'n malu'n haws. Mae gwreiddiau planhigion yn gallu treiddio i graciau mewn creigiau a rhoi cymaint o wasgedd nes bod y graig yn hollti. Mae'r holl effeithiau hyn yn torri'r graig yn ddarnau llai.

Mae dŵr yn gallu hydoddi rhai creigiau hefyd, a gall dŵr a gwynt dreulio creigiau oherwydd effaith ffrithiant. Mae dŵr a gwynt hefyd yn cario darnau o greigiau i leoedd eraill. Felly mae ymddangosiad wyneb y Ddaear yn cael ei newid yn raddol dros gyfnod hir. Mae rhai creigiau yn gwrthsefyll y broses yn well nag eraill. Mae rhannau llai gwrthsafol y creigiau yn cael eu treulio'n gynt, gan adael y rhannau mwy gwrthsafol yn fwy amlwg.

Pan fydd planhigion a phethau eraill sy'n byw yn y darnau bach o greigiau, neu arnynt, yn marw, mae eu gweddillion yn pydru ac yn mynd yn gymysg â'r darnau o'r creigiau. Dros amser maith mae'r darnau mân o greigiau a'r defnydd wedi pydru yn troi'n bridd. Mae pridd hefyd yn cynnwys aer a dŵr. Mae'r dŵr sy'n traenio trwy'r pridd, yn ogystal â'r creaduriaid sy'n byw mewn pridd, yn gallu newid y pridd.

Mae pridd yn aml yn gorchuddio wyneb y Ddaear, gan guddio'r graig oddi tano. Mae gwahanol fathau o greigiau yn cynhyrchu gwahanol fathau o bridd. Mae priddoedd yn wahanol o ran lliw ac ansawdd a bydd ynddynt wahanol feintiau o gerrig, graean, clai, deunydd organig ac ati.

Mae ardaloedd eang hefyd yn gallu symud. Mae rhannau enfawr o gramen y Ddaear, o'r enw platiau, yn symud yn araf ar draws arwyneb y Ddaear ar gyfradd o ychydig gentimetrau y flwyddyn. Pan fydd platiau yn gwrthdaro, mae'r graig yn plygu gan ffurfio mynyddoedd. Lle bydd platiau yn symud oddi wrth ei gilydd, gall hyn arwain at ddyffryn hollt; gall hyn hefyd achosi mynyddoedd wrth i graig hylif symud i fyny trwy ran wan o'r gramen. Mae gweithgaredd folcanig a daeargrynfâu yn digwydd yn bennaf ar ffiniau gwahanol blatiau, neu gerllaw'r ffiniau.

MEYSYDD YMCHWIL

◆ Gwahanol fathau o briddoedd.
◆ Beth sydd dan y ddaear?
◆ Creigiau a sut y gallant newid.
◆ Gwahanol dirffurfiau.

Gellir cysylltu'r astudiaeth ar greigiau â gwaith yng nghanllaw athrawon *Defnyddiau*. Gellir cysylltu'r astudiaeth ar briddoedd â gwaith yng nghanllaw athrawon *Pethau byw yn eu hamgylchedd*.

Canfod syniadau'r plant: gweithgareddau dechreuol

1 Beth sydd dan ein traed?

Ewch â'r plant i iard yr ysgol neu at lecyn gwyrdd a gofyn iddynt ddychmygu cloddio trwyddo:

 Beth ydych chi'n disgwyl ei weld wrth fynd i lawr?

Anogwch nhw i fynd i lawr (yn eu meddyliau) mor ddwfn ag y gallant. Gallent ddangos eu syniadau trwy gyfrwng lluniau a geiriau.

Siaradwch â'r plant am eu lluniau. Gallech ofyn:

 Dywedwch wrthyf am eich llun.
Llun o beth yw hwn?
Pa mor ddwfn y mae hwn yn mynd?
Oes rhywbeth dan hwnnw?

Os bydd y plant yn defnyddio termau fel 'hwmws', gallech ddarganfod yr ystyr a roddant i'r geiriau hyn trwy ofyn:

 Beth ydych chi'n ei feddwl wrth ddweud hynny?

Os gofynnwch iddynt dynnu dau lun – un ar gyfer 'dan iard yr ysgol' ac un ar gyfer 'dan y glaswellt' – mae'n bosibl gweld a yw syniadau'r plant ynglŷn â beth sydd dan y ddaear yn gyson.

2 Pridd

a Beth yw pridd?

Gofynnwch i'r plant ddod â samplau o bridd o'u gerddi. Rhybuddiwch y plant i gasglu'r pridd dan arolygiaeth oedolyn yn unig, fel nad ydynt yn gafael mewn pridd a gafodd ei heintio. Dylent ddefnyddio menig os yn bosibl a golchi eu dwylo ar ôl trin y pridd.

Arddangoswch y samplau pridd mewn bagiau polythen neu jariau ac os oes modd, ychwanegwch briddoedd o ardaloedd eraill, i gael amrywiaeth.

Gadewch i'r plant edrych ar y samplau dan lensys llaw. Gofynnwch iddynt:

C *Sut mae'r priddoedd yn debyg?*
Sut mae'r priddoedd yn wahanol i'w gilydd?
Beth sy'n eu gwneud yn debyg/gwahanol?

Gellid cofnodi ymatebion y plant i'r cwestiynau hyn mewn llyfr cofnod wrth ymyl yr arddangosfa.

Gellid cadw cofnodion unigol trwy ofyn i'r plant dynnu llun un sampl o bridd ac ysgrifennu brawddegau i ymateb i'r cwestiwn:

C *Beth yw pridd, yn eich barn chi?*

Trwy holi unigolion neu ofyn cwestiynau eraill yn ystod trafodaethau grŵp, cewch ragor o'u syniadau am bridd a'i darddiad.

C *Sut beth yw pridd?*
Beth sydd mewn pridd?
Sut y daeth pridd i fod fel hyn?
O ble y daw pridd yn y lle cyntaf?
Ydi pridd yn gallu newid o gwbl?
Beth yw gwaith pridd?

b Gwahanol briddoedd

Bwriad y gweithgaredd hwn yw darganfod beth sy'n bridd ym marn y plant. Defnyddiwch nifer o gynwysyddion clir, gyda sampl wahanol ym mhob un. Gallai'r rhain gynnwys pridd tywodlyd a sialcog, mawn, tywod a cherrig mân. Holwch:

 Pa rai o'r rhain fyddech chi'n eu galw'n bridd?

Gan gyfeirio at y rhai a ddewiswyd, gallech holi:

 Beth sy'n gwneud i chi alw'r rhain yn bridd?

Gyda'r rhai na chafodd eu dewis, gallech holi:

 Beth sy'n gwneud i chi ddweud nad yw'r rhain yn bridd?

Gellid cynnal y gweithgaredd mewn grwpiau, gyda'r athro/athrawes neu blentyn yn cofnodi'r syniadau sy'n codi.

c Pridd a thwf planhigion

Gellir cysylltu'r gweithgaredd hwn â gwaith ar dwf planhigion yn *Prosesau bywyd*.

Defnyddiwch ddwy sampl o bridd sy'n edrych yn wahanol. Holwch:

 Sut gallech chi ddarganfod pa bridd yw'r gorau ar gyfer tyfu planhigion?

Cyfle i'r plant feddwl am sut i wneud prawf yw hwn, ar hyn o bryd, yn hytrach na chyfle i gynnal prawf. Gallent ddisgrifio, ar lafar neu ar bapur, yr hyn y byddent yn ei wneud. Dyma rai cwestiynau eraill:

 Beth sy'n gwneud pridd yn bridd da i blanhigion dyfu ynddo?
Sut gallech chi wneud pridd sy'n well ar gyfer tyfu planhigion?
Ble fyddech chi'n cael y pridd gorau ar gyfer tyfu planhigion?

(Mae'r gweithgaredd hwn yn parhau yn yr adran 'Helpu plant ddatblygu eu syniadau', ar dudalen 53.)

3 Creigiau

a Lle mae creigiau i'w cael?

Un man cychwyn yw gofyn i'r plant:

 Am beth rydych yn meddwl pan ydw i'n dweud y gair 'craig'?

Gofynnwch iddynt dynnu lluniau yn dangos lle mae creigiau i'w cael, yn eu barn hwy. Dyma rai cwestiynau eraill y gallech eu gofyn:

 Ydych chi'n credu bod creigiau o dan bob man?
Sut daeth y graig yno, tybed?

Gallai'r plant ysgrifennu'r atebion i'r cwestiynau hyn neu eu trafod.

b Sut beth yw craig?

Un ffordd o gyflwyno'r cwestiwn hwn yw paratoi nifer o samplau o greigiau – yn ddarnau bach a mawr, yn greigiau crwn a miniog, darnau caled a meddal, lwmp o goncrit, tywod ac efallai lun o greigiau mawr iawn. Yna gallech ofyn:

 Pa rai o'r rhain fyddech chi'n eu galw'n 'graig'?
Beth sy'n gwneud i chi alw'r rhain yn graig?
Beth sy'n gwneud i chi ddweud nad yw hwn yn graig?

4 Hindreulio

Gofynnwch i'r plant dynnu llun darn o graig ac yna ddangos ar y llun sut y gallai'r darn o graig newid dros gyfnod hir.

Os oes modd, dangoswch sut mae darnau o gerrig ar adeiladau wedi treulio.

Gadewch iddynt dynnu lluniau'r hyn a welsant, ac ymateb i'r cwestiynau:

 Ydi hwn wedi edrych fel hyn erioed?
Sut olwg oedd arno o'r blaen?
Beth wnaeth iddo newid, tybed?

Gallai'r plant naill ai ddweud eu barn neu ychwanegu geiriau at eu lluniau. Posibilrwydd arall yw y gallai'r plant dynnu cyfres o luniau i ddangos sut a pham y gallai darn o garreg (carreg fedd, er enghraifft) newid dros gyfnod o amser.

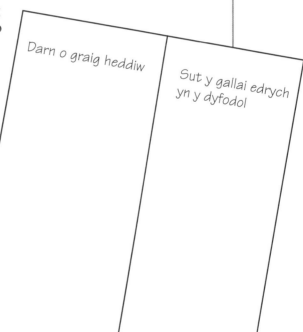

Darn o graig heddiw

Sut y gallai edrych yn y dyfodol

5 Tirffurfiau a thirweddau

Y ffordd orau o ystyried tirffurfiau yw gwneud gwaith maes. Efallai fod tirffurfiau amlwg yng nghyffiniau'r ysgol. Gallai'r plant dynnu llun bryniau, mynyddoedd, ardaloedd gwastad, dyffrynnoedd, clogwyni,

 Cadwch at bolisi'r ysgol wrth drefnu ymweliadau. Mae rhai lleoedd hynod ddiddorol, fel chwareli, hefyd yn hynod o beryglus

arfordiroedd, ac ati o'u profiad. Gallech ofyn iddynt sôn am rai o'r profiadau hynny a holi:

 Ydych chi'n credu bod (y mynyddoedd) wedi bod yno erioed?
Sut cawsant eu ffurfio, tybed?
A fyddant yn aros fel hyn am byth?

Gyda nodweddion sy'n llai cyfarwydd i'r plant, fel llosgfynyddoedd a daeargrynfâu, gallech ddangos lluniau neu sleidiau i'w hysgogi. Yna gofynnwch gwestiynau fel:

 Beth yw llosgfynyddoedd?
Beth sy'n achosi daeargrynfâu?

Syniadau'r plant

Beth sydd dan ein traed?

Cafodd y lluniau canlynol eu tynnu gan blant i ddangos eu syniadau am beth oedd dan eu traed. Mae lluniau rhai o'r plant yn dangos arwyneb y Ddaear yn unig tra bo plant eraill yn dangos bod ganddynt syniadau am yr holl adeiledd. Mae rhai hyd yn oed yn treiddio cyn belled ag Awstralia!

Yn y llun cyntaf dangosir bod y pridd yn cynnwys nifer o wahanol bethau. Mae'r ail lun yn dangos bod y plant yn sylweddoli bod gwahanol haenau dan ein traed. Ni ddangoswyd y creigiau dan y pridd yn y naill lun na'r llall.

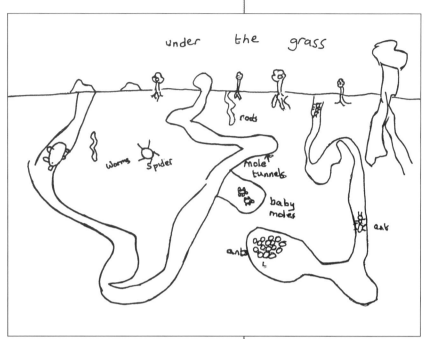

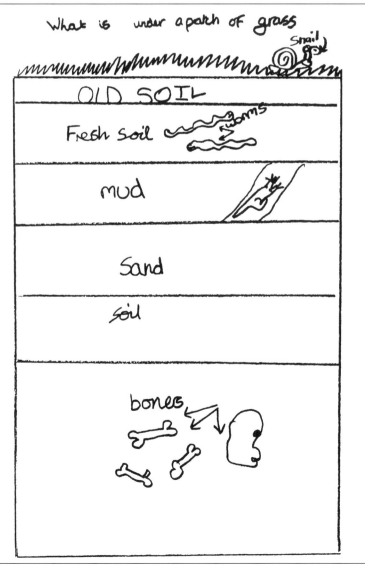

Mae'r llun hwn yn dangos nifer o nodweddion diddorol. Yn gyntaf, dangoswyd dŵr. Mae rhai plant dan yr argraff bod haenau o ddŵr. Weithiau byddant yn eu galw'n fôr tanddaearol. Yn ail, tynnwyd llun haen o graig. Ond, nid yw'n ymddangos fod hon yn haen barhaus o graig ond yn hytrach yn haen wedi'i gwneud o nifer o greigiau unigol a gwahanol. Yn drydydd, mae'r plentyn hwn – fel llawer o rai eraill – wedi parhau hyd at ganol y Ddaear. Mae'n dangos canol y Ddaear yn llinell grom.

Mae'r llun isod yn dangos bod siâp crwm i bob haen. Mae'r plentyn wedi defnyddio'r term 'cramen' (*crust*) ond heb ddangos ei fod yn deall yr ystyr yn iawn. Mae hefyd yn defnyddio'r syniad bod y Ddaear fel 'wy', gan gyfeirio at y 'melynwy' (*yoke*). Nid yw'n amlwg, heb holi'r plentyn, pa mor llythrennol y mae'r plentyn yn credu'r syniad.

Mae'r llun gyferbyn yn dangos ymwybyddiaeth fanylach o adeiledd y Ddaear. Er nad yw'r pellter a roddir yn fanwl-gywir, mae'n gywir o ran trefn maint. Mae'n dangos bod y cysyniad o bellter wedi datblygu ymhellach gan y plentyn hwn na'r rhan fwyaf o blant, sy'n dueddol o roi amcangyfrif isel iawn o'r pellteroedd dan sylw.

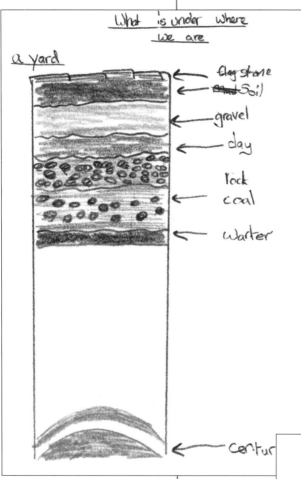

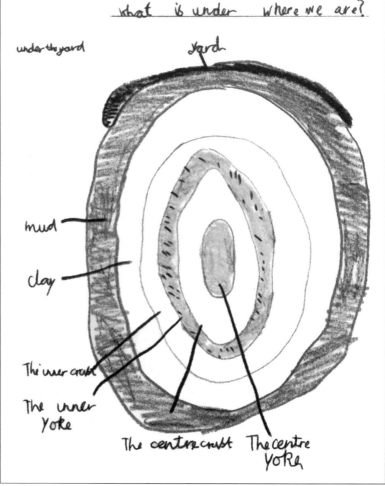

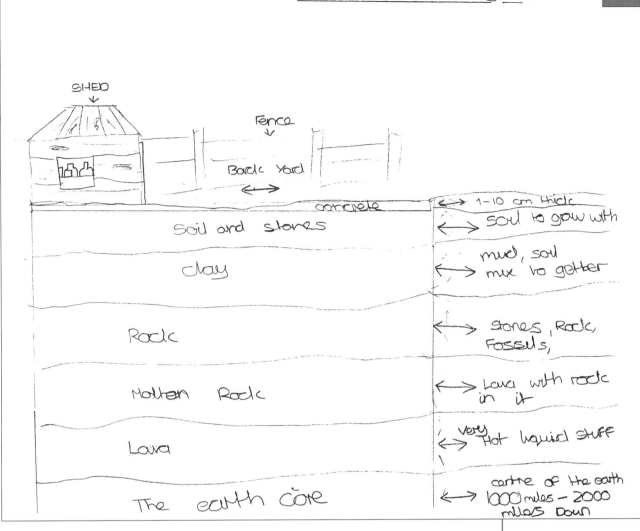

what is under the yard?

SHED

Fence

Back Yard

concrete

Soil and stones — 1-10 cm thick — Soil to grow with

Clay — mud, soil mix to gether

Rock — Stones, Rock, Fossils,

Molten Rock — Lava with rock in it

Lava — very Hot liquid stuff

The earth core — centre of the earth 1000 miles – 2000 miles Down

Pridd

Gan amlaf mae plant yn cysylltu pridd â thyfu pethau. Mae'n anodd iddynt ddychmygu planhigion yn tyfu heb bridd. Pan ddaw'n fater o ddarganfod pa un o ddau bridd yw'r gorau ar gyfer tyfu planhigion, bydd plant yn aml yn gwneud sylwadau sy'n seiliedig ar ymddangosiad neu deimlad y priddoedd – er bod un o'r sylwadau canlynol hefyd yn awgrymu prawf ymarferol.

How would you find out which soil is For Plants to Grow in! The dark brown one is because it is will absorb More water than the other and the other Soil is to hard.

I would feel it with my fingers and squash it. If it is rubbish if its chunky its good soil

Syniad y plant hyn yw y gellir penderfynu pa mor dda yw ansawdd y pridd trwy edrych arno neu ei deimlo. Hyd yn oed os na allant wneud hyn eu hunain, gallent alw am gymorth arbenigwr i'w wneud yn brawf teg.

> to do a . fair test I would take them to a garden Center and ask some one who knows abt doout soil.and plants. or go to a libaray and get a book.

Mae'n wir, wrth gwrs, y gellir dweud llawer am bridd trwy edrych arno a'i deimlo, yn enwedig wrth i arbenigwr wneud hynny. Ond gall ymddangosiad pethau fod yn dwyllodrus, a bydd rhai plant yn sylweddoli hynny gan awgrymu cynnal prawf.

> Plant a seed in each pot, put them both in sunlight, and water and take care of each one and see which one grows the best.

Fel y dengys yr enghraifft hon, nid yw plant bob tro yn rheoli newidynnau yn ofalus nac yn dangos sut y byddant yn cadw golwg ar y newidyn dibynnol – sef y twf gorau.

Mae llawer o blant o'r farn mai casgliad o ddarnau mân yw pridd, darnau o faint a lliw arbennig. Mae'r priddoedd a welant o'u cwmpas yn dylanwadu'n drwm arnynt, yn enwedig haen uchaf y pridd yn yr ardd. Nid oeddent bob tro'n ymwybodol fod garddwyr yn gallu ychwanegu pethau at y pridd hwn i'w gyfoethogi. Felly, roedd llawer o blant mewn ardaloedd di-sialc yn credu nad oedd pridd sialc yn bridd oherwydd, yn eu barn hwy, 'Mae'n rhy olau' neu 'Mae'r darnau yn rhy fawr'. Y tueddiad yw meddwl am bridd fel darnau bach brown tywyll – gan dderbyn bod darnau mwy o graig a darnau o bethau'n pydru yn y pridd ond heb ystyried eu bod yn rhan ohono.

Yn aml nid yw plant yn gweld cysylltiad rhwng y darnau o bridd â chraig. Un rheswm a roddir yw 'Mae craig yn galed a phridd yn feddal'. Oherwydd hyn, nid yw'n syndod mai anaml y mae syniadau'r plant am darddiad pridd yn cynnwys sôn am greigiau.

Syniad cyffredin yw fod pridd wedi bodoli erioed, ond mewn lle

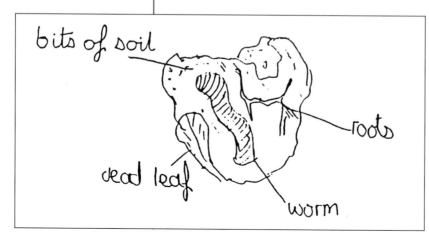

bits of soil

roots

dead leaf

worm

gwahanol. Mae pobl yn ei gario o rywle arall ar gyfer eu gerddi, ac mae ffermwyr yn ei gludo i'w caeau. Ar y llaw arall, dyma rai sylwadau gan wahanol blant sy'n dechrau sylweddoli nad yw pridd wedi bod yno erioed.

Mae'n dod o'r hen sbwriel rydych yn ei roi i lawr. Pan fydd y mwydod yn dod, maent yn ei gnoi ac mae'n dod allan yn bridd fel hyn. Mae'n mynd i mewn i'r pen blaen a dod allan yn y cefn fel pridd.

Craig sydd wedi'i falu'n fân yw pridd.

Mae wedi bod yn blanhigyn am filiynau o flynyddoedd ac yna mae wedi ei falu dan y ddaear a'i droi'n bridd.

Mae wedi'i falu o greigiau wrth i'r dŵr olchi drostynt. Mae'n cael ei falu a'i falu ac yn raddol yn cael ei droi'n dywod a phridd.

Creigiau

Mae plant yn cysylltu creigiau â'r mannau hynny lle mae creigiau i'w gweld yn amlwg oherwydd nad oes pridd yn eu gorchuddio.

We can find rocks when you are Gardening and when you climb up mountins. and when you go to the beach. You find rocks in the rock pools. and they are Jaged and couler full and gold and silver.

Jaged and gold   silver

Nid yw'n ymddangos bod plant mor ymwybodol o haenau o greigiau dan wyneb y pridd ac anaml y byddant yn cyfeirio atynt. Pan fyddant yn cyfeirio at graig dan y pridd, sôn am ddarnau unigol y byddant fel arfer. Ond, dyma un plentyn sy'n amlwg yn ymwybodol o haenau o greigiau.

You find rocks in diferent layers of earth. You find diferent kinds of rocks in diferent layers

Mae'n anghyffredin hefyd i blant gyfeirio at ddefnyddio creigiau, er enghraifft, ar gyfer gwneud cerrig adeiladu.

Dyma syniadau eraill am greigiau.

Rocks are hard things and if you throw them, they hurt.

Rocks are like stones but they are bigger.

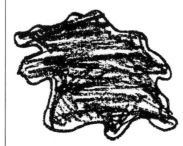

Rocks are jagjd and rufe

Rocks are sometimes lumpo of sement or claye.

Fel arfer mae plant yn credu bod creigiau yn fwy na rhyw faint arbennig, gan wahaniaethu rhyngddynt a cherrig, sy'n llai. Bydd rhai plant yn cyfeirio at siâp pigog fel un o nodweddion pwysig creigiau, tra bo eraill yn derbyn bod siapiau crwn hefyd yn greigiau. Nid yw'r sylw olaf uchod yn gwahaniaethu o gwbl rhwng defnydd synthetig a chraig sydd i'w chael yn naturiol.

Oherwydd y tueddiad i feddwl bod craig yn galed, gall hyn achosi i'r plant feddwl bod creigiau'n bethau parhaol na fyddant yn newid. O ganlyniad, mae llawer o blant yn tybio bod creigiau wedi bod yno erioed, ac felly nad oes angen meddwl am eu tarddiad.

Serch hynny, bydd gan rai plant syniadau am ffurfiant creigiau, fel lafa tawdd yn oeri neu ronynnau bach yn glynu wrth ei gilydd. Dyma un enghraifft.

Rocks are big peices of mud that has dried through the ages.

Hindreulio a thirffurfiau

Oherwydd bod plant yn tueddu i gredu bod creigiau yn galed, weithiau maent yn ei chael yn anodd dod i sylweddoli bod creigiau yn gallu torri'n ddarnau llai ac yn gallu symud. Mae'r lluniau canlynol yn dangos gwahanol syniadau am greigiau yn treulio ar adeiladau a cherrig beddau.

Mae pobl a thywydd yn achosi newid.

Mae glaw yn achosi newid.

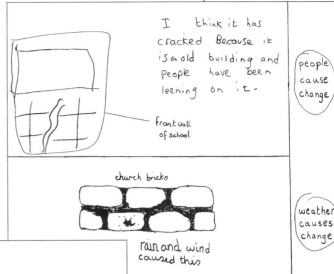

I think it has cracked Because it is an old building and people have been leening on it.

front wall of school

people cause change

church bricks

rain and wind caused this

weather causes change

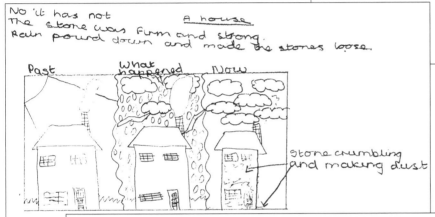

No it has not
The stone was firm and strong.
Rain poured down and made the stones loose.

A house

Past   What happened   Now

stone crumbling and making dust

A grave stone has been new stone at one time and new all gave stone have moss on them, the grave stone would be nice and bright. the grave stone has changed over the years and nobody clean them so they get very mucky.

I think the writing and colour has faded becuse it is old.

(*Uchod*) Carreg yn mynd yn fudr/brwnt wrth heneiddio – nid oes sôn am dreulio.

(*De*) Tywydd garw yn achosi newid.

(*Chwith*) Carreg yn heneiddio.

Storms wreck the bricks

41

Mae gan rai plant syniadau am greigiau yn erydu yn yr amgylchedd naturiol.

Rocks are bits of mountains or hills that have fallen down.

but if a rock is all jaggerd it it folls of a cliff into the sea and comes out oguin it will be smoth

I think that hills were made by an earthquake when the earth shook the contents just rolled on top of each other I do not think that they have always been there.
I think that valleys were formed by water. The water must of made the soil shrink somehow.

Mae llawer o blant yn awgrymu bod dyffrynnoedd, bryniau a mynyddoedd wedi bod yno erioed, ond eto'n cydnabod y gallant newid. Yn yr enghraifft hon mae'r plentyn yn cysylltu ffurfio mynyddoedd â daeargrynfâu ond rhoddir rheswm tra gwahanol dros ffurfio dyffrynnoedd.

Mae rhai plant yn sylweddoli bod pobl yn effeithio ar y tirwedd.

2. They were made from a rubbish tip and it grew over the top.
3. The valleys formed by water running through the hills and it has come away and it has came into a valley.
4. The hills wont stay there were people have been walking it will come away and it will turn into a Mound.

Mae'r rhan fwyaf o blant yn dangos ymwybyddiaeth o ddaeargrynfâu a llosgfynyddoedd, a gall rhai roi esboniadau eithaf cymhleth i'w hegluro.

Volcanoes are a kind of hollow mountains. that have a long shaft that leads to the earths crust. Every once in a while the magma at the bottom erupts and the lava over fills the volcanoe causing it to spill over the top. An earthquake is caused by the hot liquid that is in the earths core. the liquid gives off gases and the pressure of the gas that is trying to get out causes an earthquake so the ground shakes.

Helpu'r plant ddatblygu eu syniadau

Mae'r siart gyferbyn yn dangos sut y gallwch helpu plant ddatblygu eu syniadau. Mae'n edrych ar wahanol ymatebion i'r cwestiynau a sut y gallant arwain at wahanol syniadau.

Mae'r petryalau yn y canol yn cynnwys cwestiynau dechreuol.

Mae'r 'swigod meddyliau' o'u hamgylch yn cynnwys y math o syniadau a fynegir gan blant.

Mae'r cylch pellach o betryalau yn cynnwys cwestiynau a ofynnir gan athrawon mewn ymateb i'r syniadau a fynegir gan y plant. Diben y cwestiynau hyn yw sbarduno'r plant i feddwl am eu syniadau.

Mae'r blychau allanol â chorneli crwn yn dangos ffyrdd y gallai'r plant ymateb i gwestiynau'r athrawon.

Gadawyd rhai o'r siapiau yn wag, yn arwydd y gellir dod ar draws syniadau eraill ac y gellir rhoi cynnig ar ffyrdd eraill o helpu plant ddatblygu eu syniadau.

1 Beth sydd dan ein traed?

I rai plant, mae'r cwestiwn 'Beth sydd dan y ddaear?' yn gwneud iddynt feddwl am bridd a dim arall. Mae plant eraill yn gallu mynd y tu hwnt i hynny ac ystyried holl adeiledd y Ddaear. Heb fynd y tu hwnt i'w dealltwriaeth, anogwch y plant i gasglu rhagor o dystiolaeth ynglŷn â'u syniadau am yr hyn sydd dan y ddaear.

Efallai y byddwch wedi gofyn i'r plant dynnu lluniau wrth geisio casglu eu syniadau ar y dechrau. Yna gallech ofyn iddynt gymharu eu lluniau mewn grwpiau, ac ystyried y gwahanol syniadau. Gofynnwch iddynt:

 Pa dystiolaeth allwch chi ei darganfod fod y pethau yn eich lluniau yno mewn gwirionedd?
Ydi hi'n bosibl fod rhywbeth dan y peth isaf yn eich llun? Sut gallwch chi ddarganfod hynny?

Gall y plant ddefnyddio cyfuniad o brofiad uniongyrchol a ffynonellau eilaidd i gasglu tystiolaeth er mwyn gwerthuso eu syniadau.

Helpu plant ddatblygu eu syniadau am greigiau a phriddoedd

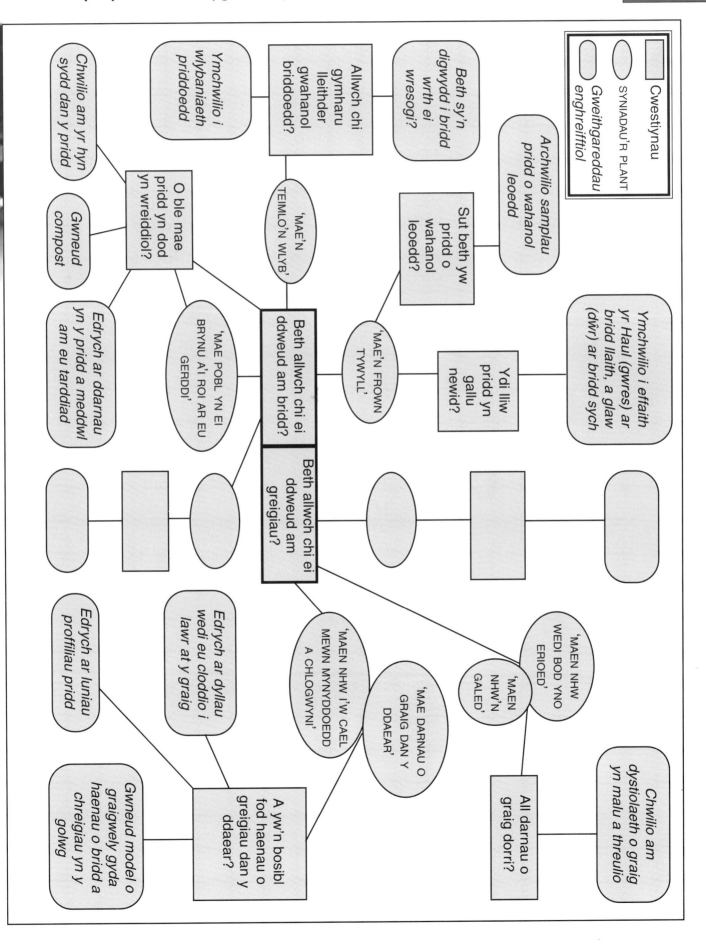

Cwestiynau

SYNIADAU'R PLANT

Gweithgareddau enghreifftiol

Chwilio am yr hyn sydd dan y pridd

Gwneud compost

Ymchwilio i wlybaniaeth priddoedd

Allwch chi gymharu lleithder gwahanol briddoedd?

Beth sy'n digwydd i bridd wrth ei wresogi?

O ble mae pridd yn dod yn wreiddiol?

Edrych ar ddarnau yn y pridd a meddwl am eu tarddiad

'MAE'N TEIMLO'N WLYB'

'MAE POBL YN EI BRYNU A'I ROI AR EU GERDDI'

Archwilio samplau pridd o wahanol leoedd

Sut beth yw pridd o wahanol leoedd?

Beth allwch chi ei ddweud am bridd?

'MAE'N FROWN TYWYLL'

Ydi lliw pridd yn gallu newid?

Ymchwilio i effaith yr Haul (gwres) ar bridd llaith, a glaw (dŵr) ar bridd sych

Beth allwch chi ei ddweud am greigiau?

Edrych ar luniau proffiliau pridd

Edrych ar dyllau wedi eu cloddio i lawr at y graig

'MAEN NHW I'W CAEL MEWN MYNYDDOEDD A CHLOGWYNI'

'MAE DARNAU O GRAIG DAN Y DDAEAR'

'MAEN NHW'N GALED'

'MAEN NHW WEDI BOD YNO ERIOED'

A yw'n bosibl fod haenau o greigiau dan y ddaear?

All darnau o graig dorri?

Gwneud model o graigwely gyda haenau o bridd a chreigiau yn y golwg

Chwilio am dystiolaeth o graig yn malu a threulio

a Cloddio twll

Gadewch i'r plant balu twll yn y pridd i chwilio am y pethau sydd yn eu lluniau. Dylai'r twll fod tua 60 cm o ddyfnder. Wrth gloddio twll yn ofalus gydag ochrau syth gellir dangos proffil y pridd. Holwch:

C *Pa mor ddwfn y mae gwreiddiau'r planhigion yn mynd?*
Ydi lliw'r pridd yn newid o gwbl?
A oes haenau i'w gweld yn y pridd?
Ydi maint y darnau yn newid wrth i chi fynd yn is?

Gall y plant wneud cofnod o'r proffil trwy osod pridd o bob haen ar ddarn o bren.

Cofnodi

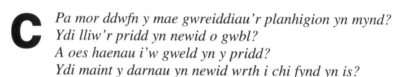

Gellid gwneud mwy o ddefnydd o'r twll trwy orchuddio'r ochrau syth â haen o blastig clir, gwydn. Rhowch blastig du dros y twll i'w gadw'n dywyll nes y byddwch am edrych arno drachefn.

Mae creaduriaid mewn pridd a dŵr yn achosi newidiadau yn y pridd

C *Ydi'r pridd yn newid dros gyfnod o amser?*
A oes unrhyw dystiolaeth i ddangos beth allai newid y pridd?

b Edrych ar dyllau eraill

Manteisiwch ar gyfleoedd i'r plant edrych ar broffiliau eraill – er enghraifft:

◆ tyllau mewn ffyrdd i osod pibellau, ac ati;
◆ tir a chraig wedi eu torri i wneud ffyrdd newydd;
◆ edrych ar lan afonydd a ffosydd traenio, lle nad oes llystyfiant yn cuddio'r haenau.

Astudiwch y proffiliau hyn a lluniau rhai eraill, a chymharu.

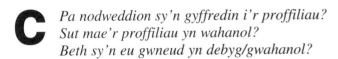

C *Pa nodweddion sy'n gyffredin i'r proffiliau?*
Sut mae'r proffiliau yn wahanol?
Beth sy'n eu gwneud yn debyg/gwahanol?

Efallai y bydd y proffiliau yn dangos creigiau dan yr wyneb. Gellir cael profiad uniongyrchol o haenau craig os gellir gwneud twll sy'n ddigon dwfn. Byddai ymweld â chwarel yn dangos y pridd a'r graig sydd oddi tano.

Man cychwyn arall ar gyfer trafod yr hyn sydd dan y ddaear fyddai 'Twnel y Sianel' yn *Rhagor am greigiau, pridd a thywydd*.

c A oes craig dan y ddaear?

Mae llawer o blant yn credu bod creigiau dan y ddaear, ond yn aml byddant yn meddwl amdanynt fel creigiau unigol yn hytrach na haenau parhaus.

Dechreuwch drafodaeth trwy ofyn:

C *A oes creigiau dan y ddaear?*
Sut bethau ydyn nhw, tybed?
A oes creigiau o dan bob man?
Ydych chi'n credu y gallai'r graig dan y fan hyn gyrraedd yr holl ffordd at (rhyw le pell)?

Anogwch y plant i chwilio am dystiolaeth ar gyfer eu syniadau. Gallent ddarganfod pethau am fwyngloddiau, tyllu, ogofâu a thyneli. Gall llyfrau, ffotograffau, papurau newydd a fideos fod yn ffynonellau defnyddiol.

Mae'n bosibl y byddai rhai plant yn gallu gwneud model o wyneb y Ddaear. Gellid defnyddio plastr, *papier-mâché* neu ryw ddefnydd arall i gynrychioli craig; dylai'r arwyneb fod yn anwastad. Yna gellid taenu pridd dros yr arwyneb fel bod unrhyw blastr sy'n dal yn y golwg yn cynrychioli mynyddoedd, clogwyni, a chreigiau noeth eraill sy'n rhan o'r haen barhaus o graig.

Diogelwch, yn enwedig wrth ymweld â safleoedd adeiladu ac afonydd. Cadwch at bolisi'r ysgol wrth drefnu ymweliadau

Mae'n bosibl na fydd hyn yn bosibl, nac yn addas, ar gyfer plant ifanc

lld *Tudalennau 4-5*

n *Craig yw'r Ddaear yn bennaf*

TC 1 *Cyfathrebu*

o

n *Dim ond haen denau ar wyneb y Ddaear yw'r pridd*

ch Mynd yn ddyfnach

Os yw'n ymddangos bod y plant yn barod i dderbyn syniadau newydd am rannau dyfnach adeiledd y Ddaear, gallech drafod yr ystyr a roddant i eiriau fel 'cramen', 'mantell' a 'chraidd'. (Gweler Pennod 5, 'Cefndir gwyddonol'.) Holwch:

 C *Sut bethau yw'r rhannau sydd y tu mewn i'r Ddaear?*
Sut gwyddom ni eu bod nhw yno?

Gallai'r cwestiynau hyn ysgogi trafodaeth ac arwain at chwilio am ragor o wybodaeth.

Efallai y gallai'r plant wneud model o ran o sffêr y Ddaear mewn clai o wahanol liwiau. Gallent ei dorri yn ei hanner i weld yr haenau. Neu, gallech ofyn i'r plant dorri afal yn ei hanner, tynnu llun ohono, a nodi'r darnau sy'n cyfateb i gramen, craidd a mantell y Ddaear. Gofynnwch iddynt ystyried pa mor dda y mae'r croen yn cynrychioli'r gramen, y cnawd y fantell, a chalon yr afal yn cynrychioli craidd y Ddaear.

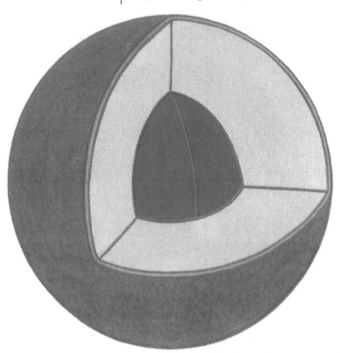

Gallwch ofyn i'r plant ystyried a yw'r modelau hyn yn dangos dyfnder y gwahanol haenau yn gywir. Os yw'r plant wedi dod o hyd i werthoedd ar gyfer y dyfnderoedd mewn ffynonellau eilaidd, gallent eu defnyddio i lunio croestoriad wrth raddfa. Gallai pawb gynorthwyo i wneud croestoriad mawr ar hyd wal y dosbarth. Helpwch y plant roi rhai o'r dyfnderoedd mewn cyd-destun.

 C *Allwch chi gymharu'r dyfnderoedd â rhyw daith bell y buoch arni?*

2 Pridd

a Golwg agosach ar bridd

 *Arsylwi*

Anogwch y plant i ailystyried eu syniadau am bridd a'r hyn sydd ynddo trwy ofyn iddynt edrych yn fwy gofalus ar samplau o bridd. Gallent weithio mewn grwpiau i wahanu'r samplau â llaw yn wahanol fathau o ddarnau. Bydd lensys llaw yn ddefnyddiol yma. Os oes modd, dylent wisgo menig. Gofynnwch iddynt enwi'r darnau a ddidolwyd ac arddangos eu gwaith.

Holwch a allant awgrymu ffyrdd eraill o wahanu a didoli'r pridd. Efallai y gallent ychwanegu dŵr i weld pa rannau sy'n arnofio, neu ychwanegu dŵr ac ysgwyd i weld sut y mae'r gwahanol rannau yn gwaelodi. Gallent ddefnyddio gogr, rhidyll, rhwyllen a ffabrigau i wahanu darnau o wahanol faint.

 Mae'r rhannau o'r pridd sy'n dod o bethau byw yn arnofio

Mae *Rhagor am greigiau, pridd a thywydd* yn disgrifio gwahanol fathau o bridd a sut y cânt eu ffurfio. Gellid defnyddio hyn yn rhan o drafodaeth am gymharu gwahanol briddoedd.

 Tudalennau 14-15

b Tarddiad pridd

A yw'r plant yn gallu olrhain tarddiad y gwahanol ddarnau y daethant o hyd iddynt yn y pridd? Holwch:

 Sut y daeth y darnau hyn i'r pridd?

Mae rhai rhannau o'r pridd yn dod o bethau byw wedi marw a phydru

Os byddant yn sylweddoli bod rhai darnau yn dod o blanhigion, gallwch helpu'r plant wneud astudiaeth o'r hyn sy'n digwydd i ddefnydd planhigol sy'n disgyn a chael ei orchuddio gan bridd. Gallent edrych ar domen gompost, neu hyd yn oed wneud tomen gompost eu hunain.

Ychwanegu haenau – 15cm deunydd planhigol (dail, glaswellt ac ati) wedi'u gwasgu'n dda.
– Ychydig o gemegion pwrpasol i gyflymu'r broses o wneud compost.
– 3cm o bridd.
– Ailadrodd nes cyrraedd 1m a rhoi haen o bridd o'i gwmpas. Ei gadw'n llaith.

15 cm

1 m

Darnau o frics / cerrig / brigau ac ati

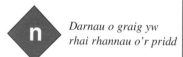

Darnau o graig yw rhai rhannau o'r pridd

Mae'n anos deall bod darnau bach o greigiau mewn pridd. Gallech ofyn:

C *O ble y daw'r darnau sy ddim yn dod o blanhigion neu anifeiliaid?
A allen nhw fod wedi dod o'r graig?*

Gofynnwch i'r plant geisio darganfod neu feddwl am dystiolaeth ar gyfer eu hymateb. Gallent astudio'r darnau bach yn ofalus gyda lens llaw, neu hyd yn oed ficrosgop. Holwch:

C *Ydyn nhw'n edrych fel petaen nhw wedi dod o graig?*

Ar ôl gwahanu darnau trwy ddefnyddio dŵr, gellid edrych arnynt wedi iddynt sychu.

Gallai'r plant hefyd astudio samplau o greigiau. Holwch:

C *A oes unrhyw ddarnau bach wrth ymyl y samplau?
Allwch chi wneud i ddarnau o'r graig falu?
Ydych chi wedi gweld unrhyw enghreifftiau o graig wedi malu neu hollti?*

Mae yma gyfle i helpu'r plant ddatblygu eu syniadau am greigiau yn treulio (gweler tudalen 57).

Gwisgwch sbectol ddiogelwch wrth dorri darnau o graig. Ni ddylai'r plant fod yn agos ar y pryd. Ni ddylai'r plant dorri creigiau

c Mathau o bridd a chreigiau

Ffordd arall o feddwl am darddiad pridd yw trwy edrych ar y priddoedd sy'n gysylltiedig â gwahanol fathau o greigiau. Mae'n debyg mai ychydig o brofiad o wahanol fathau o briddoedd fydd gan y plant. Efallai y bydd rhai o'r farn mai un peth yn unig yw pridd – sef uwchbridd brown tywyll yr ardd.

Arsylwi

Anogwch y plant i ddatblygu syniadau mwy cyffredinol am bridd trwy roi nifer o wahanol briddoedd iddynt eu harchwilio – pridd tywodlyd, sialcog a mawnaidd, er enghraifft. Gallwch ofyn iddynt wahanu'r priddoedd yn y dulliau a ddisgrifiwyd ar dudalennau 48-49. Os oes modd, darparwch samplau o'r math o greigiau y tarddodd y pridd ohonynt.

C *Pa debygrwydd sydd rhwng y pridd tywodlyd a'r tywodfaen? Sut mae pridd sialcog yn debyg i'r graig sialc? Beth sy'n wahanol? Pam mae pridd mawnaidd mor dywyll ei liw? A oes darnau o graig ynddo?*

Mae cysylltiad rhwng lliw'r pridd a lliw'r graig y daeth ohono; pethau byw wedi pydru yw mawn bron yn llwyr

Gall cwestiynau o'r fath helpu'r plant ddatblygu eu syniadau am y berthynas rhwng creigiau a phridd. Mae'r syniad o astudio proffiliau pridd fel yn y gweithgareddau am 'Beth sydd dan ein traed' (tudalen 44) yn berthnasol yma hefyd. Gallai'r plant ddefnyddio cronfa ddata gyfrifiadurol i gofnodi gwybodaeth am y gwahanol briddoedd. Gallent gofnodi lliw, gwead, presenoldeb darnau gweledol o blanhigion, unrhyw greaduriaid sy'n bresennol, lle cafwyd y pridd, pa mor llaith ydyw, ac ati. Yna gallent chwilio am briddoedd gyda phriodweddau arbennig.

Arsylwi

ch Rhagor o bethau mewn pridd

Dŵr

Mae'n bosibl y bydd rhai plant yn credu mai llaid neu fwd wedi sychu yw pridd. Gofynnwch iddynt feddwl sut i ddarganfod a oes dŵr mewn pridd, a faint. Gallent gymharu gwahanol briddoedd.

Anogwch y plant i wneud y gymhariaeth mor deg â phosibl, heb ddweud wrthynt beth i'w wneud. I gynnal prawf teg, dylent gymryd pridd o'r un pwysau, a sychu'r priddoedd yn yr un ffordd cyn eu pwyso drachefn.

Cynllunio a chynnal profion teg

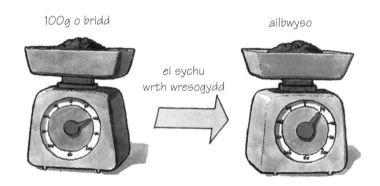

100g o bridd

ailbwyso

ei sychu
wrth wresogydd

Mae'n bosibl y bydd rhai priddoedd yn ymddangos yn sych ond y bydd y prawf yn datgelu bod lleithder ynddynt. Gallech chi neu'r plant godi cwestiynau fel:

Mae dŵr yn traenio trwy rai priddoedd ond yn tueddu i gael ei ddal mewn priddoedd eraill

C *Ydi gwahanol briddoedd yn gallu dal gwahanol faint o ddŵr? Ydi dŵr yn traenio trwy rai priddoedd yn gynt nag eraill?*

Mae'r llun isod yn dangos y cyfarpar a ddefnyddiwyd gan un grŵp o blant i ymchwilio i gwestiynau o'r fath. Gofynnwyd iddynt ragfynegi cyn cynnal y prawf.

Aer

Mae plant yn llai tebygol o sôn fod aer yn rhan o bridd; yn aml byddant o'r farn mai'r darnau solid yn unig yw'r pridd. Gallech drafod gyda grwpiau a oes unrhyw beth rhwng y 'darnau' o bridd.

C *Bylchau sydd yn y fan hyn?*
Os felly, a oes unrhyw beth yn llenwi'r bylchau?

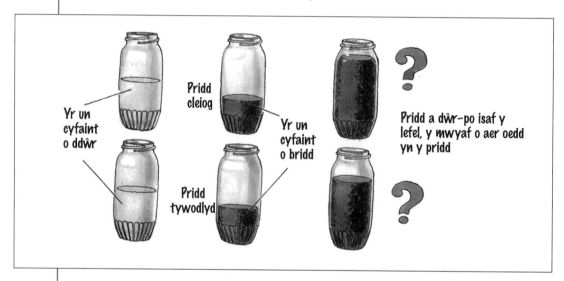

Yr un cyfaint o ddŵr

Pridd cleiog

Yr un cyfaint o bridd

Pridd tywodlyd

Pridd a dŵr-po isaf y lefel, y mwyaf o aer oedd yn y pridd

Yna gallai'r plant ragfynegi pa samplau fyddai â mwy o fylchau, ac felly â mwy o aer ynddynt. Gallech gynnwys samplau o gerrig mân ymhlith samplau o bridd tywodlyd a phridd sialc, er enghraifft. Mae'r llun uchod yn dangos un ffordd o gynnal prawf teg ar y rhagfynegiadau.

Pethau byw

Mae'n bosibl hefyd y bydd plant wedi cyfeirio at greaduriaid sy'n byw mewn pridd. Efallai y bydd ganddynt syniadau am yr hyn y mae'r creaduriaid yn ei wneud, yr hyn y maent yn ei fwyta a lle yn y pridd y maent i'w cael. Anogwch nhw i ystyried eu syniadau yn erbyn tystiolaeth o arsylwadau uniongyrchol, os oes modd, a thrwy gasglu gwybodaeth o ffynonellau eilaidd.

Mae abwydfa yn ddyfais dda ar gyfer gwneud arsylwadau uniongyrchol. Gallwch ofyn i'r plant adeiladu abwydfa fel yr un a ddangosir ar y dudalen gyferbyn.

Mae *Rhagor am greigiau, pridd a thywydd* yn cyfeirio at anifeiliaid a ffyngau yn y pridd. Gallai hyn fod o gymorth i'r plant ystyried eu cyfraniad wrth i bridd ymffurfio.

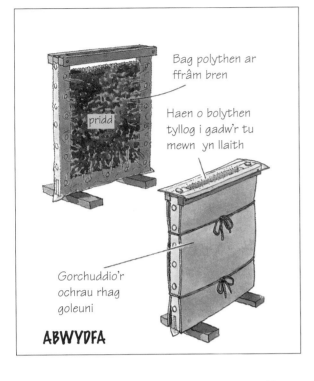

ABWYDFA

Bag polythen ar ffrâm bren

Haen o bolythen tyllog i gadw'r tu mewn yn llaith

pridd

Gorchuddio'r ochrau rhag goleuni

Gall pethau byw achosi i'r pridd symud

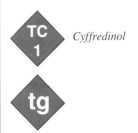

Cyffredinol

d Pridd a thwf planhigion *(parhau â'r gweithgaredd dechreuol)*

Gofynnwch i'r plant ddweud sut y byddent yn darganfod pa un o'r ddau bridd yw'r gorau i blanhigion dyfu ynddo. Gofynnwch iddynt gynllunio eu hymchwiliad, gan weithio mewn grwpiau. Trwy ofyn cwestiynau addas, ceisiwch eu hannog i fod mor drylwyr â phosibl.

Gellid llunio'r cynllun ar brosesydd geiriau.

Os dywedant y gallant benderfynu trwy edrych ar ymddangosiad y pridd, gofynnwch:

C *Allwch chi fod yn siŵr trwy edrych yn unig?*

Os nad ydynt wedi nodi sut y byddant yn dweud pa blanhigyn sy'n tyfu orau, holwch:

C *Sut byddwch chi'n gwybod pa blanhigyn sy'n tyfu orau?*

Os dewisant blannu un math o hedyn yn unig ym mhob pridd, gofynnwch:

C *Beth os na fydd eich hedyn yn tyfu?*
Beth os yw un hedyn yn well nag un arall?

Os nad ydynt yn bwriadu defnyddio yr un maint o bob pridd a'u trin yn yr un ffordd, gofynnwch:

C *Sut byddwch chi'n gwneud eich cymhariaeth yn un deg?*

Ar ôl cynllunio, dylai'r plant gynnal yr ymchwiliad.

Gofynnwch iddynt ystyried eu cynllun yn ofalus, ac adolygu eu cynlluniau yn feirniadol bob hyn a hyn.

n *Mae rhai priddoedd yn gweddu i rai planhigion*

Efallai y bydd plant sy'n gyfarwydd â garddio yn gallu ystyried a fydd pridd neilltuol yn well i bob planhigyn bob tro. Gallech ofyn hefyd:

C *Sut gallech chi wella'r pridd er mwyn tyfu planhigion?*

lld *Tudalennau 10-11; 8-9*

Gallai'r plant gymharu gwahanol ffyrdd o dyfu planhigion. Mae gwybodaeth yn *Rhagor am greigiau, pridd a thywydd* am dyfu planhigion heb bridd a gallai hyn fod yn fan cychwyn. Mae *Creigiau, pridd a thywydd* yn disgrifio lle mae corn melys yn tyfu a'r amodau angenrheidiol.

Gellir gwneud rhywfaint o waith ymarferol ar y pwnc hwn; gellir casglu llawer o wybodaeth am bethau sy'n tyfu'n dda mewn rhai mathau o bridd trwy droi at lyfrau garddio a llyfrau natur, a thrwy siarad â garddwyr proffesiynol.

lld *Tudalennau 4-5, 18-19*

Mae *Creigiau, pridd a thywydd* yn ystyried sut y mae ffermwr yn gofalu am y pridd ar ei fferm. Gellid defnyddio'r uned i gasglu gwybodaeth ac yn sail ar gyfer trafodaeth bellach. Mae'r un llyfr yn dangos rhai o'r ffyrdd sydd gan bobl o reoli'r mathau o blanhigion ac anifeiliaid sy'n byw mewn gwahanol fannau.

dd Ai'r un pridd sydd ym mhobman?

Gallai'r plant gynnal arolwg pridd trwy gasglu samplau o bridd o wahanol ardaloedd yng ngwledydd Prydain. Gofynnwch i'r plant gynllunio eu harolwg.

TC 1 *Cynllunio ymchwiliad*

C *O ble bydd y pridd yn dod?*
Pa brofion fydd yn cael eu cynnal ar y samplau?
Sut bydd y darganfyddiadau yn cael eu cofnodi a'u cyflwyno?

Gofynnodd un dosbarth i athrawon a rhieni ddod â sampl o bridd yn ôl oddi ar eu gwyliau (yng ngwledydd Prydain). Manteisiodd dosbarth arall ar riant oedd yn yrrwr lori – bu ef a'i ffrindiau yn casglu samplau ar eu teithiau.

Gallai'r plant nodi ar fap o ble y daeth y samplau pridd a thrafod eu darganfyddiadau.

 Ydi'r pridd o wahanol ardaloedd yr un peth?
Sut mae'r pridd yn wahanol?
Beth sy'n ei wneud yn wahanol, tybed?
Allai'r math o graig sydd mewn ardal effeithio ar y pridd?
Ydi'r pridd o'r ardd yn wahanol i bridd o fannau eraill?

3 Creigiau a thirwedd

Bu'r ddwy adran flaenorol yn trafod y syniad fod creigiau i'w cael ar ffurf haenau parhaus a'r berthynas rhwng creigiau a phridd. Mae'r adran hon yn ystyried natur y graig ei hun, gan gynnwys sut y mae'n malu'n ddarnau llai ac effaith creigiau ar y tirwedd.

a Beth yw craig?

Trefnwch arddangosfa o luniau a geiriau i ddangos syniadau'r plant am fannau lle gellir dod o hyd i greigiau. Helpwch y plant ddatblygu eu syniadau trwy ofyn iddynt gasglu lluniau neu ffotograffau o bethau wedi'u gwneud o greigiau, a'u cynnwys yn yr arddangosfa. Gallent gynnwys cerfluniau, cerrig beddi, gemwaith, slabiau ar gyfer rholio crwst, cerrig palmant, gratiau, a nifer o wahanol rannau o adeiladau, o riniog y drws i lechi to.

Gellid defnyddio *Creigiau, pridd a thywydd* i helpu'r plant drafod y gwahanol fathau o greigiau sydd i'w cael yn y cartref.

Trafodwch yr enghreifftiau.

 Ydi pob craig yr un peth?
Ym mha ffyrdd y mae'r creigiau yn debyg/gwahanol?
Ydi (cerrig palmant) wedi'u gwneud o graig naturiol ynteu defnyddiau synthetig?

Yn dilyn hyn, gellid ymweld â chanol tref i edrych ar y ffordd y defnyddir cerrig fel defnydd adeiladu. (Gellir cysylltu'r gwaith hwn â'r hyn a awgrymir yn y canllaw athrawon ar gyfer *Defnyddiau*). Gallech baratoi 'llwybr cerrig'. Nodwch faint o wahanol fathau o gerrig adeiladu y gall y plant eu hadnabod. Gallent wneud brasluniau o'r adeiladau gan nodi cerrig naturiol a ddefnyddir yn ogystal â 'cherrig' synthetig fel concrit, teiliau a brics.

Helpwch y plant feddwl am graig fel math o ddefnydd. Rhowch set o ddefnyddiau iddynt, defnyddiau adeiladu o bosibl. Gofynnwch iddynt eu dosbarthu yn greigiau a defnyddiau synthetig. Yna gofynnwch iddynt eu

 Mae'n anghyfreithlon dod â phridd o dramor i wledydd Prydain

 Cyfathrebu

 *Arsylwi Cofnodi*

 *Tudalennau 10-11*

 Cadwch at bolisi'r ysgol wrth drefnu ymweliadau

dosbarthu'n graig, plastig, metel, pren a cherameg, os yw'r rhain ar gael.

Ceisiwch ehangu profiad y plant o'r gwahanol greigiau sydd ar gael. Un ffordd o wneud hyn yw trwy ymweld â iard saer maen. Mae llawer o wahanol fathau o ddefnyddiau i'w gweld yno a hefyd gall y plant weld y gwahanol dechnegau a ddefnyddir i dorri a siapio creigiau. Efallai y gwelant ei bod yn haws torri rhai mathau o greigiau nag eraill a bod rhai creigiau yn malu'n gymharol hawdd. Gall hyn wneud iddynt ailystyried eu syniadau am galedwch a pharhad creigiau. Gellir gweld bod gwahanol ddefnyddiau yn gwneud cerrig beddi mewn rhai mynwentydd hefyd.

Lluniwch gasgliad o greigiau yn yr ysgol. Dylai'r plant gyfrannu at y casgliad. Ceisiwch ychwanegu enghreifftiau anarferol neu drawiadol i'w wneud yn fwy diddorol. Gellid edrych ar luniau a phosteri hefyd, ac o bosibl eu harddangos gyda'r casgliad.

Mae *Creigiau, pridd a thywydd* yn rhoi enghreifftiau o wahanol greigiau a lle i ddod o hyd iddynt.

Gofynnwch i'r plant ddidoli'r creigiau mewn gwahanol ffyrdd. Gallent ddechrau trwy ystyried pethau syml fel lliw neu siâp. Yna gallent edrych arnynt gyda lens llaw a'u didoli'n rhai lle gellir gweld gronynnau heb y lens, rhai lle mae'n rhaid defnyddio'r lens i weld gronynnau, a'r rhai lle na ellir gweld gronynnau o gwbl. Gellid cofnodi gwybodaeth am y samplau mewn cronfa ddata.

Efallai y bydd rhai plant yn awyddus i ddarganfod rhagor am gymharu ac adnabod creigiau. Gallent gasglu gwybodaeth o ffynonellau eilaidd. Un cwestiwn a allai godi o'u profiad yw:

C *Rydym yn dweud bod pethau yn 'galed fel craig' – ydi pob craig yr un mor galed?*

Mae'r lluniau hyn yn dangos rhai ffyrdd y gallai plant ymchwilio i'r cwestiwn.

Mae *Rhagor am greigiau, pridd a thywydd* yn ystyried mwynau ac yn fan cychwyn ar gyfer trafod ystyr y gair 'mwyn'.

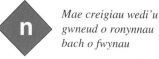

Cadwch at bolisi'r ysgol wrth drefnu ymweliadau: mae safleoedd diwydiannol yn fannau peryglus

lld *Tudalennau 14-15*

Mae creigiau wedi'u gwneud o ronynnau bach o fwynau

tg

Rhaid i blant beidio â thorri darnau bach oddi ar samplau o graig. Os ydych chi'n dymuno gwneud hynny, gwisgwch sbectol ddiogelwch. Rhaid i blant sy'n sefyll yn agos atoch wisgo sbectol hefyd

n *Defnyddir y prawf crafu i adnabod samplau pur o fwynau yn hytrach na chreigiau*

lld *Tudalennau 16-17*

b Hindreulio

Wrth weld craig yn cael ei thorri, daw plant i sylweddoli bod yn bosibl i graig falu'n ddarnau llai. Pa dystiolaeth y gall y plant ei darganfod i ddangos bod creigiau yn malurio mewn adeiladau?

Gofynnwch iddynt chwilio am enghreifftiau o gerrig a defnyddiau synthetig yn treulio, a thynnu llun ohonynt:

◆ palmentydd wedi treulio a chracio;
◆ grisiau carreg wedi treulio;
◆ corneli waliau wedi treulio;
◆ tyllau ar iard yr ysgol.

Gofynnwch iddynt feddwl hefyd am dystiolaeth o greigiau yn malurio yn yr amgylchedd naturiol:

◆ darnau mawr o greigiau gyda chraciau neu holltau;
◆ sgri o gerrig dan lethr serth;
◆ creigiau wedi cwympo wrth odrau clogwyn.

Anogwch y plant i drafod pam mae'r graig wreiddiol wedi newid.

C *Pa fathau o bethau sy'n gwneud i greigiau dreulio?*
Ydych chi'n credu bod creigiau yn torri'n ddarnau mawr ynteu'n ddarnau bach?

Efallai y bydd plant yn sôn am 'y tywydd' neu 'y tywydd yn treulio' (sef hindreulio). Mae'n bwysig holi beth yn union yw ystyr hyn iddynt. Mae'n bosibl eu bod yn meddwl am stormydd geirwon yn hytrach na phroses raddol.

C *Pryd mae'r tywydd yn treulio creigiau?*
Ydych chi'n credu y gallai hyn fod yn digwydd drwy'r amser?
Ydi'r graig yn cael ei threulio'n araf ynteu'n gyflym?

Os bydd plant yn sôn am ddŵr neu law, a ydynt yn gallu egluro'r syniad?

C *Sut mae dŵr yn gallu hollti craig?*
Sut mae dŵr yn mynd i'r graig yn y lle cyntaf?

Gall y ddau gwestiwn blaenorol arwain at ymchwiliadau: a yw gwahanol greigiau yn gallu amsugno dŵr, ac effeithiau rhewi ar y creigiau. Mae'n haws gweld yr effeithiau wrth ddefnyddio Plastr Paris yn hytrach na chraig go iawn, ond bydd angen iddo fynd i mewn ac allan o'r rhewgell tua deuddeg o weithiau cyn i ddim byd amlwg ddigwydd.

Pwyso'r graig ar y dechrau. Nawr ei thynnu o'r dŵr, sychu'r tu allan a'i phwyso eto.

Mae'r lluniau yn awgrymu ymchwiliadau posibl.

IId *Tudalennau 20-21; 6, 8-9*

Mae *Creigiau, pridd a thywydd* a *Rhagor am greigiau, pridd a thywydd* yn rhoi enghreifftiau o greigiau yn cael eu treulio, a gellir defnyddio'r llyfrau i gasglu gwybodaeth a hybu trafodaeth.

c Tirffurfiau a thirweddau

Mae taith faes yn rhoi mwy o brofiad uniongyrchol i'r plant o dirffurfiau a thirweddau. Mae'n bosibl y bydd gan y plant syniadau am wahanol dirffurfiau, a gellir eu cymharu â'u harsylwadau neu â gwybodaeth mewn ffynonellau eilaidd. Efallai y bydd ganddynt syniadau am beth sy'n achosi'r ffurfiau tir a welant. Bydd angen i chi roi cymorth i'r plant ystyried eu syniadau ochr yn ochr â'r syniadau mewn ffynonellau eilaidd.

! *Cadwch at bolisi'r ysgol wrth drefnu ymweliadau*

o

Gallech ofyn i'r plant wneud model o'r hyn sy'n digwydd wrth i ddŵr ddisgyn ar ddarnau o graig trwy ddefnyddio'r syniad yn y llun hwn.

Gellid cynnal gweithgaredd tebyg gyda phridd i ddangos sut y gallai dŵr ei olchi ymaith.

Gellir dangos hefyd bod y gwynt yn symud darnau o greigiau a phridd, trwy roi stribedi gludiog mewn nifer o fannau agored yn yr awyr iach ac edrych arnynt yn ddiweddarach. Mae'n bosibl y bydd angen i chi drafod ai darnau o greigiau a phridd yw'r pethau sydd wedi glynu wrth y stribedi.

Gallai'r plant ymchwilio i ba mor serth y gellir llwytho gwahanol ddefnyddiau, trwy wneud twmpathau.

Gellir modelu sut y cafodd mynyddoedd plyg eu ffurfio trwy ddefnyddio haenau o glai gwahanol liwiau i gynrychioli haenau o greigiau.

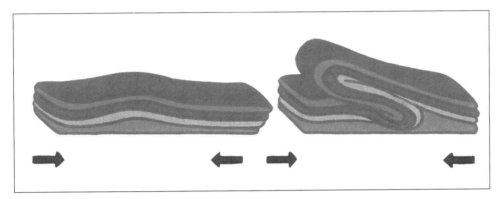

Un anhawster gyda'r modelau hyn yw eu bod yn dangos prosesau sy'n digwydd dros filoedd o flynyddoedd mewn amser byr iawn. Mae canllaw athrawon *Amrywiaeth bywyd* yn awgrymu sut y gellir helpu'r plant ddatblygu eu syniadau am gyfnodau maith iawn. Cyfeirio at brosesau sy'n ffurfio bywyd y maent yno, ond mae rhai prosesau daearegol yn digwydd dros gyfnodau hyd yn oed yn hwy; mae eraill, fel hindreulio ac erydiad, yn cymryd llai o amser, ond cyfnod hirach nag y gall y plant ei ddychmygu'n hawdd, fel arfer.

Weithiau bydd daeargrynfâu a llosgfynyddoedd yn newid arwyneb y Ddaear yn llawer cyflymach. Gofynnwch i'r plant chwilio ar fap o'r byd am ardaloedd lle ceir daeargrynfâu a llosgfynyddoedd a chwilio am unrhyw batrymau yn eu lleoliad.

Anogwch y plant i drafod eu syniadau am y patrymau ac yna chwilio mewn ffynonellau eilaidd am syniadau eraill.

C *Sut mae'r syniadau hyn yn egluro beth sy'n digwydd mewn gwirionedd?*

Mae *Rhagor am greigiau, pridd a thywydd* yn rhoi enghreifftiau o ffurfio mynyddoedd a thirffurfiau eraill – gellid eu defnyddio i symbylu trafodaeth. Mae hefyd yn cynnwys disgrifiad llygad-dyst o Fynydd Pinatubo yn echdorri ym 1991.

 Mae daeargrynfâu a llosgfynyddoedd yn digwydd gan amlaf ar hyd y ffiniau lle mae platiau'n cwrdd

 Tudalennau 8-9, 12-13

Tywydd

MEYSYDD YMCHWIL

◆ Edrych ar y tywydd – gwahanol fath o dywydd, newidiadau a phatrymau dros gyfnod o amser.
◆ Mesur a chofnodi gwahanol ffactorau sy'n perthyn i'r tywydd.
◆ Effeithiau'r tywydd ar yr amgylchedd.

SYNIADAU ALLWEDDOL

◆ *Mae'r tywydd yn newid o ddydd i ddydd ac mae i'r tywydd batrymau sy'n gysylltiedig â newidiadau tymhorol.
◆ *Mae'r tywydd a newidiadau tymhorol yn cael effaith sylweddol ar yr amgylchedd ac yn dylanwadu ar ymddygiad popeth byw.
◆ *Mae newidiadau yn y tywydd yn digwydd oherwydd effeithiau'r Haul yn gwresogi, a symudiad aer yn yr atmosffer o ganlyniad i hynny.

(*Mae seren yn nodi syniadau a ddatblygir yn llawnach mewn cyfnodau allweddol diweddarach.)

GOLWG AR
y tywydd

Planed greigiog yw'r Ddaear wedi'i hamgylchynu gan atmosffer o aer. Mae newidiadau yn yr atmosffer, ar y lefelau is yn bennaf, yn arwain at newidiadau yn y tywydd. Mae aer o'n cwmpas ym mhobman. Mae'n ymestyn i fyny uwchben y Ddaear, gan deneuo wrth i chi fynd yn uwch. Aer yn symud yw gwynt. Mae gwyntoedd yn amrywio o ran buanedd (neu rym, neu gryfder) a chyfeiriad. Mae buanedd y gwynt yn cael ei fesur gan ddyfais sy'n cael ei throelli gan y gwynt. Ceiliog y gwynt sy'n mesur cyfeiriad gwynt, trwy anelu i gyfeiriad y gwynt. Mae gwybodaeth am fuanedd yn bwysig oherwydd effaith niweidiol gwyntoedd cryfion. Mae gwybodaeth am gyfeiriad yn gallu ein helpu wrth broffwydo pa dywydd rydym yn debygol o'i gael. Er enghraifft, yng ngwledydd Prydain mae glaw yn aml yn dod yn sgil gwyntoedd gorllewinol.

Mae cymylau yn cynnwys diferion bach o ddŵr a grisialau iâ. Gall y gronynnau hyn uno a dod yn ddigon trwm i ddisgyn fel glaw, cenllysg/cesair neu eira. Mae cymylau yn ffurfio wrth i aer cynnes godi. Gall aer cynnes ddal mwy o wlybaniaeth ar ffurf anwedd anweledig nag aer oer. Mae'r aer sy'n codi yn oeri a rhywfaint o'r anwedd dŵr ynddo yn troi'n ddŵr hylif. Felly mae dŵr yn symud oddi ar wyneb y Ddaear i'r aer ac yn ôl i'r Ddaear drachefn: dyma'r gylchred ddŵr.

Gellir mesur faint o law sy'n disgyn trwy ddal glaw mewn cynhwysydd a mesur uchder y glaw a gesglir. Mae'n gallu amrywio'n fawr o le i le, hyd yn oed o fewn ardal fechan.

Mae'r tymheredd yn amrywio o un rhan o'r byd i'r llall. Mae uchder llwybr yr Haul yn yr awyr yn effeithio'n fras ar y tymheredd cyfartalog. Mae elfennau eraill yn bwysig, fel y pellter o'r môr, uchder uwch lefel y môr ac, o ddydd i ddydd, y cymylau ac o ba gyfeiriad y mae'r gwynt yn chwythu.

I baratoi rhagolygon y tywydd rhaid defnyddio mesuriadau manwl o'r tywydd presennol yn ogystal â bod yn ymwybodol o batrymau tywydd yn fwy cyffredinol.

Canfod syniadau'r plant:
gweithgareddau dechreuol

Sut dywydd gawn ni heddiw?

1 Newid tywydd – cadw cofnod a chwilio am esboniad

Tynnwch sylw'r plant at y tywydd ac awgrymwch eu bod yn cadw cofnod ohono. Ceisiwch osgoi bwydo geiriau a syniadau iddynt ar hyn o bryd; anogwch nhw i ddefnyddio eu termau eu hunain.

Yn dilyn y drafodaeth ddechreuol, gellir gofyn i'r plant:

C *Allwch chi gofnodi'r tywydd am y 4 neu 5 diwrnod nesaf?*

Gellid rhannu darn o bapur yn golofnau ar gyfer 'Dydd Llun', 'Dydd Mawrth', ac ati, yn siart cofnodi defnyddiol. Dylai'r plant gofnodi'r nodweddion perthnasol yn eu fordd eu hunain – trwy ysgrifennu, tynnu lluniau neu ddefnyddio symbolau. Gellid annog plant hŷn i ddyfeisio a defnyddio eu symbolau eu hunain.

Trafodwch y cofnodion gyda'r plant. Gofynnwch gwestiynau fel:

C *Pam gwnaethoch chi gofnodi (y nodweddion hyn)?*
Beth yw ystyr y symbol hwn?
Pam gwnaethoch chi ddefnyddio'r symbol hwn i gynrychioli (y nodwedd hon)?

Ar ôl iddynt egluro eu cofnodion, ceisiwch ddarganfod eu syniadau am yr hyn sy'n achosi newidiadau yn y tywydd. Holwch:

C *Beth sy'n gwneud iddi newid o fod yn (dyweder) dywydd heulog i (dyweder) dywydd glawog?*
Beth sy'n ei gwneud yn lawog/niwlog/heulog ac ati?
Sut dywydd sydd mewn gwahanol rannau o'r byd?
Sut dywydd yw hi ar wahanol adegau o'r flwyddyn?

Byddai cyfres o luniau a geiriau yn fordd briodol i'r plant ymateb i'r cwestiynau.

2 Proffwydo'r tywydd

Gofynnwch i'r plant wylio rhagolygon y tywydd ar y teledu. Defnyddiwch drafodaeth yn y dosbarth i ddarganfod syniadau'r plant. Gofynnwch gwestiynau fel:

C *Beth mae dyn/dynes y tywydd yn ei wneud?*
Sut mae'r bobl hyn yn gwybod sut dywydd sydd i ddod?
Sut maen nhw'n gwybod sut dywydd fydd hi yfory/yr wythnos nesaf?
Beth yw ystyr y gwahanol symbolau?

Efallai y byddai'n gyfleus i chi gofnodi ymatebion y plant ar siart fel y rhai a ddangosir ar dudalennau 45 a 69 – hynny yw, rhoi'r cwestiwn yn y canol a gosod eu hatebion o'i amgylch. Byddai hyn o gymorth wrth gynllunio gweithgareddau i ddatblygu eu syniadau.

3 Effeithiau'r tywydd

Anogwch y plant i feddwl am effeithiau'r tywydd yn hytrach na'r tywydd ei hun. Gallent ddefnyddio lluniau a geiriau i gofnodi eu syniadau mewn ymateb i gwestiynau fel:

 Beth sy'n digwydd i bethau pan mae hi'n wyntog/yn glawio/yn heulog?
Beth fyddai'n digwydd petaech chi'n gallu newid y tywydd i'w gwneud hi'n wyntog iawn/poeth iawn a heulog/glawog drwy'r amser?
Ydych chi'n credu bod y tywydd yn gallu gwneud lleoedd yn wahanol?

Gellid cysylltu'r gweithgaredd hwn â thasg ysgrifennu creadigol. Gofynnwch i'r plant ddychmygu eu bod yn gallu rheoli'r tywydd ac ysgrifennu stori am yr hyn a ddigwyddodd wrth iddynt newid y tywydd.

Trafodwch y lluniau a'r storïau gyda'r plant:

 Pam byddai tywydd gwyntog/glawog/heulog yn gwneud hynny?
Beth yw'r peth gwaethaf/gorau sy'n cael ei achosi gan y tywydd?

Syniadau'r plant

Cadw cofnodion tywydd ac arsylwi

Fel arfer mae plant yn gallu gwneud rhyw fath o arsylwadau am y tywydd a'u cofnodi mewn rhyw ffordd. Mae symbolau i gofnodi'r tywydd yn tueddu i ddatblygu'n raddol o'u lluniau. Yn y cofnod isod, mae'r plentyn wedi tynnu lluniau o'r awyr, ond mae'r geiriau yn adrodd y stori lawn cymaint â'r lluniau. Yn wir, lluniau tebyg iawn sydd ganddo i gynrychioli 'oer' a 'chynnes'.

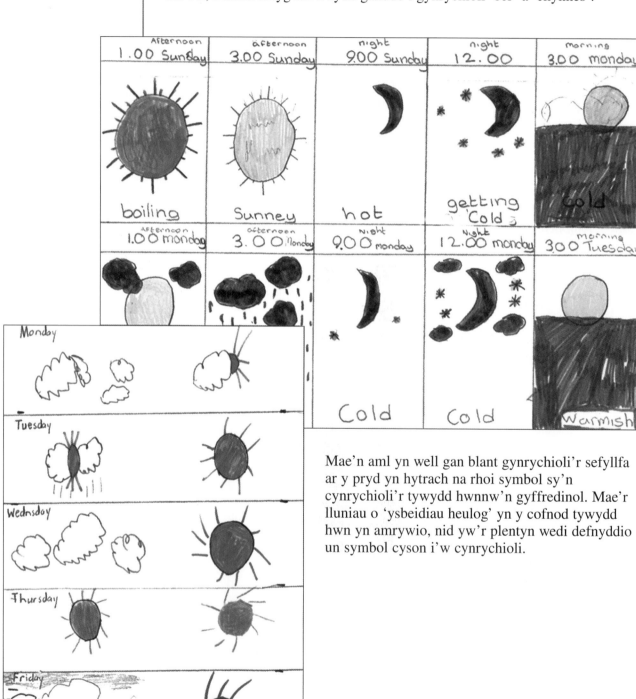

Mae'n aml yn well gan blant gynrychioli'r sefyllfa ar y pryd yn hytrach na rhoi symbol sy'n cynrychioli'r tywydd hwnnw'n gyffredinol. Mae'r lluniau o 'ysbeidiau heulog' yn y cofnod tywydd hwn yn amrywio, nid yw'r plentyn wedi defnyddio un symbol cyson i'w cynrychioli.

Rhesymau dros y tywydd

Dyma sylwadau un plentyn am y ffordd y mae pobl y tywydd yn gallu rhagfynegi'r tywydd. Mae'n awgrymu bod pob gwlad yn cael ei thywydd yn ei thro – yr un tywydd?

> He will Know because county's that have time ahead of us send a note what is is Like

Er ei bod yn wir dweud bod systemau o ffryntiau tywydd yn gallu achosi i fandiau o law a thymheredd symud i gyfeiriadau arbennig, mae'r sôn am 'amser o'n blaenau' yn awgrymu cyfeiriad sefydlog. Mae plentyn arall yn cynnig mecanwaith sy'n egluro sut mae'r tywydd hwn yn ein cyrraedd yn ei drefn sefydlog – sef cylchdro'r Ddaear. Mae'r tywydd yn sefydlog yn yr awyr ac mae'r Ddaear yn troi i'w dderbyn, bob ardal yn ei thro.

Mae gan yr un plentyn syniadau am sut mae cymylau yn cael eu ffurfio.

> because the earth is turning there may be no clouds in front of England but then it may turn and there may be clouds in front of England.

> WHY ???

> water is sucked up from the sea into the clouds when the clouds are full the water is let out. and come down as rain

Mae'r syniad o 'sugno' dŵr i'r cymylau yn rhoi'r argraff fod y cwmwl yn bodoli'n annibynnol i'r dŵr sydd ynddo. Mae plant yn cysylltu cymylau â glaw ond gall fod yn anodd dehongli a ydynt yn sylweddoli mai dŵr yw'r cymylau. Mae'r lluniau isod yn dangos syniadau eraill am y cymylau, glaw a'r Ddaear.

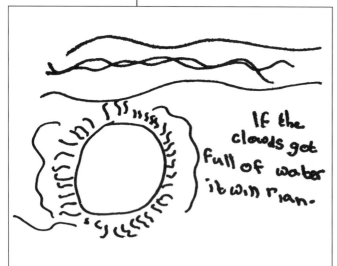

Proffwydo'r tywydd

Mae llawer o blant yn gwybod y defnyddir lloerennau i broffwydo'r tywydd, ond yn aml nid ydynt yn gwybod beth yn union y mae'r lloerennau yn ei gofnodi a'i fesur, a sut y mae hyn o gymorth i ragfynegi'r tywydd.

My Weather forcast

He was telling us what it would be like today. I think the have satellites that tell them.

the satellites go throgh to this big machine.

Mae eraill yn ymwybodol bod offer yn cael eu defnyddio.

The man can tell what the weater will be licke by using specil Instruments.

Nid yw'n amlwg yma a yw'r 'offer arbennig' yn cael eu defnyddio i fesur agweddau penodol ar y tywydd. Mae plant eraill yn sôn am offer penodol.

he's got a weather cock to tell him what the weather will be like

Er bod yr enghraifft uchod yn cyfeirio at ddull hynafol o gofnodi'r gwynt, mae'n wir fod mesur cyfeiriad y gwynt yn sail gadarn ar gyfer rhagfynegi'r tywydd.

Gall syniadau eraill adlewyrchu llên gwerin, fel yr enghraifft nesaf. Unwaith eto, fodd bynnag, mae'n wir fod y mathau o gymylau yn yr awyr yn gallu bod yn ffordd ddefnyddiol o ragweld y tywydd.

he can tell by the clouds

Mae'r un plentyn yn ymwybodol o bwysigrwydd casglu gwybodaeth o nifer o ffynonellau (er ei bod yn credu bod gwledydd yn derbyn yr un tywydd yn eu tro).

I think he knows what the weath is like because he get the megges from other contrys

Helpu plant ddatblygu eu syniadau

Mae'r siart gyferbyn yn dangos sut y gallwch helpu plant ddatblygu eu syniadau. Mae'n edrych ar wahanol ymatebion i'r cwestiynau a sut y gallant arwain at wahanol syniadau.

Mae'r petryalau yn y canol yn cynnwys cwestiynau dechreuol.

Mae'r 'swigod meddyliau' o'u hamgylch yn cynnwys y math o syniadau a fynegir gan blant.

Mae'r cylch pellach o betryalau yn cynnwys cwestiynau a ofynnir gan athrawon mewn ymateb i'r syniadau a fynegir gan y plant. Diben y cwestiynau hyn yw sbarduno'r plant i feddwl am eu syniadau.

Mae'r blychau allanol â chorneli crwn yn dangos ffyrdd y gallai'r plant ymateb i gwestiynau'r athrawon.

Gadawyd rhai o'r siapiau yn wag, yn arwydd y gellir dod ar draws syniadau eraill ac y gellir rhoi cynnig ar ffyrdd eraill o helpu plant ddatblygu eu syniadau.

1 Gorsaf dywydd

Bydd llawer o'r gwaith i ddatblygu syniadau'r plant yn seiliedig ar gofnodi'r tywydd, yna didoli a thrafod y data a gasglwyd.

Trwy drefnu gorsaf dywydd, rhoddir cyfle i'r plant:

- ◆ gynllunio a gwneud nifer o ddyfeisiau ar gyfer mesur gwahanol agweddau ar y tywydd (cysylltiadau â dylunio a thechnoleg);
- ◆ mesur – hyd/lled, cyfaint, amser – gan roi pwyslais ar bwysigrwydd cael dull safonol o gasglu data fel y gellir cymharu'r canlyniadau yn deg;
- ◆ chwilio am batrymau a dehongli data a rhagfynegi;
- ◆ defnyddio ffynonellau data eilaidd i weld cofnodion tywydd yn y gorffennol;
- ◆ cofnodi ac arddangos data mewn gwahanol ffyrdd, defnyddio graffiau, siartiau bar, mapiau a symbolau.

Bydd angen trefnu'r gweithgaredd hwn yn ofalus oherwydd mae'n annhebygol y gall pob plentyn neu grŵp gofnodi pob agwedd ar y tywydd. Felly, yn dilyn trafodaeth yn y dosbarth i benderfynu pa agweddau y gellir eu hastudio, gallai gwahanol grwpiau o blant ysgwyddo cyfrifoldeb am wahanol nodweddion tywydd.

Helpu plant ddatblygu eu syniadau am y tywydd

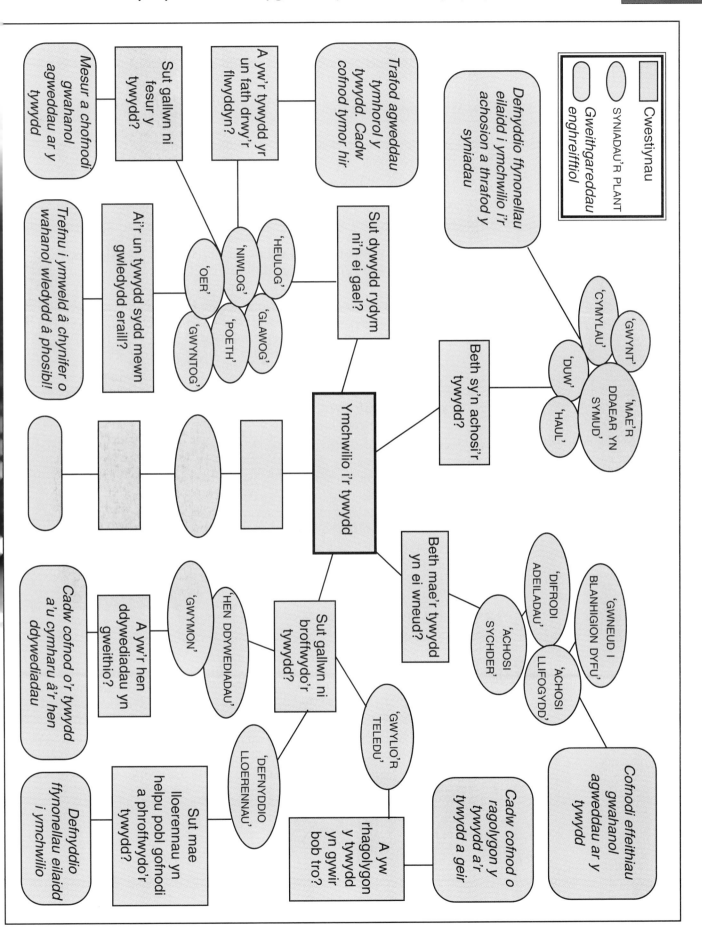

Dyma rai agweddau ar y tywydd y gellid eu trafod.

a Gellir cofnodi heulwen yn nhermau
- oriau o heulwen
- cysgodion
- pa mor gryf yw golau'r Haul (arddwysedd)
- pa mor aml y ceir heulwen.

Peidiwch ag edrych yn syth at yr Haul

C *Ydi'r heulwen yn ystod y dydd yr un fath bob amser?*
Pa ran o'r flwyddyn sy'n cael y mwyaf o heulwen?

b Gellir mesur tymheredd (mae thermomedr uchafbwynt-lleiafbwynt yn ddefnyddiol iawn).

C *Ydi'r tymheredd yn newid yn ystod y dydd?*
Ar ba adeg o'r dydd y mae'r tymheredd uchaf?
Ydi'r tymheredd yr un fath bob dydd?

c Gellir mesur buanedd a chyfeiriad y gwynt, a chanfod cyfeiriad y prifwynt.

C *Ydi'r gwynt yn dod o'r un cyfeiriad bob amser?*
Ydi'r gwynt yn chwythu ar yr un cryfder bob amser?
Ydi buanedd y gwynt yr un fath ym mhobman?

Tudalennau 2-3

Mae *Creigiau, pridd a thywydd* yn edrych ar wynt a'i ddylanwad ar y tywydd.

ch Gellir cofnodi cymylau – siâp, lliw, symudiad, faint o'r awyr sydd wedi'i gorchuddio – mewn symbolau neu'n ysgrifenedig.

C *Beth sy'n digwydd i'r cymylau yn ystod y dydd?*
A oes mathau arbennig o gymylau ar gyfer gwahanol fathau o dywydd?

Gellir defnyddio *Creigiau, pridd a thywydd* i drafod cymylau.

 Tudalennau 12-13

d Gellir mesur y glawiad gyda meidrydd glaw, ac amcangyfrif maint y diferion a pha mor aml y mae'n glawio

C *Pan mae hi'n bwrw glaw, ydi hi'n bwrw'r un fath bob tro?*
Ydi'r glaw yn disgyn yn gyfartal ym mhobman ar y llawr?

Mae llun o'r gylchred ddŵr yn *Rhagor am greigiau, pridd a thywydd.*

Tudalennau 2-3

Os oes modd, trefnwch i ymweld â gorsaf dywydd leol er mwyn i'r plant gymharu eu cofnodion â chofnodion swyddogol, a gweld yr offer a ddefnyddir i wneud y gwahanol fesuriadau.

Anogwch y plant i ddefnyddio ffynonellau eilaidd (llyfrau, hen gofnodion a mapiau, tapiau fideo) i gynyddu'r data sydd ar gael a dod o hyd i ffyrdd eraill o fesur y tywydd. Yn arbennig, gellid ymchwilio i'r gwahanol ffyrdd o ddefnyddio lloerennau a chyfrifiaduron.

Mae *Rhagor am greigiau, pridd a thywydd* yn egluro sut y mae rhagolygon y tywydd yn cael eu paratoi ar gyfer y teledu. Gellid defnyddio hyn ar ddechrau trafodaeth.

Tudalennau 20-21

2 Trafod

Dylai'r plant gyflwyno eu darganfyddiadau mewn nifer o ffyrdd (siartiau, lluniau, ysgrifen, modelau) er mwyn i bawb weld y gwaith. Mae'n bwysig i bawb drafod y darganfyddiadau, fel dosbarth ac mewn grwpiau. Defnyddiwch gwestiynau penodol i roi cyfeiriad i'r drafodaeth. Dyma rai enghreifftiau:

C *Ydi hi'n oerach bob amser y mae'r gwynt yn chwythu?*
Ydi hi'n bwrw glaw bob tro y mae'n gymylog?
Ydi hi'n boeth bob tro y mae'r haul yn tywynnu?
Sut dywydd yw hi yn ystod y nos?

Beth sy'n mynd i ddigwydd i'r cymylau welwn ni heddiw?
Beth sydd wedi digwydd i'r cymylau a welsom ni ddoe?
Beth sy'n digwydd i'r Haul ar ddiwedd y dydd?

Yn ddelfrydol dylid mesur y tywydd ar wahanol adegau o'r flwyddyn er mwyn gallu eu cymharu.

C *Pam mae'r tywydd yn wahanol ar wahanol adegau o'r flwyddyn?*

Tudalennau 16-17

Mae *Creigiau, pridd a thywydd* yn sôn am ffermwyr yn Oes y Cerrig yn ceisio rhagfynegi'r tywydd ar wahanol adegau o'r flwyddyn; mae hefyd yn annog y plant i ystyried llên gwerin heddiw.

Anogwch y plant i gymharu eu darganfyddiadau â'r rhai ar gyfer rhannau eraill o'r byd. Gwnewch gasgliad o'r wybodaeth a roddir mewn papurau newydd a/neu daflenni gwyliau. Holwch:

C *Beth sy'n gwneud y tywydd yn wahanol mewn rhannau eraill o'r byd?*

Tudalennau 22-23;
22-23

Yn *Creigiau, pridd a thywydd* mae adroddiad byr am yr hinsawdd a'i effaith ar fywyd yn India'r Gorllewin. Gallai'r plant gymharu hyn â lleoedd eraill. Yn *Rhagor am greigiau, pridd a thywydd* mae uned i symbylu trafodaeth am newidiadau posibl yn hinsawdd y byd.

3 Effeithiau'r tywydd

Dylai'r plant chwilio am dystiolaeth o effeithiau gwahanol fathau o dywydd. Mae'n debyg mai effeithiau gwynt yw'r rhai mwyaf amlwg, ond gellir gweld effeithiau glaw, haul, iâ ac eira os gwneir yr arsylwadau ar yr adeg briodol. Meddyliwch am weithgareddau y gall y tywydd effeithio arnynt, er enghraifft:

◆ chwaraeon;
◆ gweithgareddau yn yr awyr iach (dringo, hwylio, canŵio);
◆ gwyliau, ffeiriau, sioeau, yr Eisteddfod;
◆ swyddi (garddwyr, adeiladwyr, ffermwyr);
◆ amaethyddiaeth, mewn gwahanol rannau o'r byd yn ogystal ag yng Nghymru.

Tudalennau 18-19

Mae *Rhagor am greigiau, pridd a thywydd* yn awgrymu bod y tywydd wedi bod yn elfen bwysig wrth i lynges Lloegr drechu Armada Sbaen. Gallech fynd ymlaen i drafod digwyddiadau hanesyddol eraill gyda'r plant – fel Napoleon yn cilio o Moskva, wedi'i drechu gan y gaeaf. Mae agorawd '1812' Tchaikovsky yn disgrifio'r hanes yn dda!

Mae'n bosibl casglu gwybodaeth o ffynonellau eilaidd, ond mae hwn hefyd yn gyfle i'r plant gasglu gwybodaeth gan bobl eraill. Gallent esgus bod yn newyddiadurwyr a chyfweld rhieni a theulu am y tywydd mwyaf garw y maent yn ei gofio ac effaith y tywydd hwnnw arnynt. Gellid recordio'r cyfweliadau hyn ar dâp a'u chwarae i'r plant eraill a'u trafod.

Cofnodi

Mae *Creigiau, pridd a thywydd* yn adrodd stori am y gwynt a'r dŵr. Gallai'r plant ddefnyddio'r stori yn symbyliad ar gyfer ysgrifennu creadigol, neu ymchwilio i chwedlau a straeon am y tywydd.

Tudalennau 6-7

Asesu

4.1 Rhagarweiniad

Byddwch wedi bod yn asesu syniadau a medrau eich plant gan ddefnyddio'r gweithgareddau yn y canllaw hwn i athrawon. Yn y bôn mae'r asesu parhaus, ffurfiannol hwn yn rhan o addysgu gan fod yr hyn rydych yn ei ddarganfod yn cael ei ddefnyddio'n syth i awgrymu'r camau nesaf i helpu cynnydd y plant. Ond gellir dod â'r wybodaeth hon i gyd at ei gilydd a'i chrynhoi ar gyfer cofnodi ac adrodd cynnydd. Rhaid i'r crynodeb hwn o berfformiad fod yn nhermau disgrifiadau lefel y Cwricwlwm Cenedlaethol ar ddiwedd y cyfnodau allweddol, a bydd rhai ysgolion yn cadw cofnodion o'r lefelau ar adegau eraill.

Mae'r bennod hon yn eich helpu i grynhoi'r wybodaeth a gasglwch o waith y plant yn nhermau disgrifiadau lefel. Trafodir enghreifftiau o waith sy'n gysylltiedig â themâu'r canllaw hwn a thynnir sylw at nodweddion sy'n dangos gweithgaredd ar lefel benodol i ddangos yr hyn y dylech chwilio amdano yng ngwaith y disgyblion fel tystiolaeth o gyrhaeddiad ar un lefel neu'i gilydd. Fodd bynnag, mae angen edrych ar draws holl ystod y gwaith, a pheidio â barnu trwy ystyried un digwyddiad neu ddarn o waith yn unig.

Darperir dwy set o enghreifftiau. Mae'r gyntaf yn asesu medrau yng nghyddestun y gweithgareddau sy'n gysylltiedig â'r cysyniadau a gwmpasir yn y canllaw hwn. Mae'r ail yn ymwneud â datblygiad y cysyniadau hynny.

4.2 Asesu medrau (TC1)

Pethau i chwilio amdanynt pan fydd disgyblion yn ymchwilio i greigiau, pridd a thywydd, yn dangos cynnydd o lefel 2 i lefel 5:

Lefel 2: Awgrymu yn ogystal ag ymateb i awgrymiadau pobl eraill ynglŷn â sut i ddarganfod pethau am greigiau, pridd a thywydd neu eu cymharu. Defnyddio offer, megis chwyddwydrau neu glorian ar gyfer pwyso, i arsylwi. Cofnodi eu darganfyddiadau a'u cymharu â'r hyn y disgwylient ei ddarganfod.

Lefel 3: Dweud beth y disgwyliant ei weld yn digwydd pan newidir rhywbeth ac awgrymu ffyrdd o gasglu gwybodaeth i roi prawf ar eu rhagfynegiadau. Cynnal profion teg, gwybod pam maent yn deg, a mesur. Cofnodi'r hyn a ddarganfyddant mewn nifer o ffyrdd; sylwi ar unrhyw batrymau ynddo.

Lefel 4: Gwneud rhagfynegiadau sy'n ganllaw wrth gynllunio profion teg. Defnyddio offer addas a gwneud arsylwadau addas a pherthnasol. Defnyddio tablau a siartiau i gofnodi mesuriadau ac arsylwadau eraill. Dehongli, dod i gasgliadau a cheisio cysylltu eu darganfyddiadau â gwybodaeth wyddonol.

Lefel 5: Cynllunio ymchwiliadau wedi'u rheoli er mwyn rhoi prawf ar ragfynegiadau sy'n seiliedig ar wybodaeth wyddonol. Defnyddio offer yn ofalus, ailadrodd arsylwadau yn ôl yr angen. Defnyddio graffiau llinell i gofnodi a chynorthwyo wrth ddehongli; ystyried eu darganfyddiadau mewn perthynas â gwybodaeth wyddonol.

Roedd yr athrawes wedi penderfynu y dylai'r plant ymchwilio i briodweddau creigiau a phridd ar dir yr ysgol. Cafodd y plant eu hannog i ddod â chreigiau i'r dosbarth. Paratowyd arddangosfa o greigiau yn cynnwys tywodfaen, sialc a gwenithfaen. Bu'r plant yn trin a thrafod y creigiau yn yr arddangosfa, a thrwy ofyn cwestiynau bu'r athrawes yn annog y plant i drafod eu harsylwadau.

Beth sy'n tynnu'ch sylw am y creigiau?
Allwch chi ddisgrifio rhai o'r pethau sy'n debyg am y creigiau a rhai o'r pethau sy'n wahanol?

Soniodd llawer o'r plant am briodweddau'r creigiau yn yr arddangosfa a chawsant eu hannog gan yr athrawes i roi prawf ar eu syniadau. (Am resymau diogelwch, ni adawyd iddynt dorri darnau o'r creigiau.)

> You find rocks on beaches and other places like parks near diggs and in gardens sometimes on the street's and roads on mountains, beside lakes and rivers, Some rocks look like crystal and some look like black blob or a spot they are hard Some of them sparkle they are not soft you can make fire with it and if you hit someone with it would hurt.

Riyaz

Dengys gwaith Riyaz iddo edrych ar y creigiau a defnyddio rhywfaint ar ei wybodaeth am greigiau. Nid oes tystiolaeth iddo ymateb i awgrymiadau'r athrawes ynglŷn â darganfod pethau ac nid yw'r gwaith hwn wedi cyrraedd lefel 2.

Sylwodd rhai o'r plant fod rhai creigiau yn galetach nag eraill ac roeddent yn awyddus i ddod o hyd i ffordd o ddarganfod pa un oedd y caletaf.

Mae darlun Stuart yn dangos iddo edrych yn ofalus ar dywodfaen ac wrth drafod â'r athrawes fe awgrymodd Stuart y byddai tywodfaen yn dal mwy o ddŵr na charreg lwyd oedd hefyd yn rhan o'r casgliad. Credai Peter hefyd y byddai'r cerrig yn amsugno gwahanol feintiau o ddŵr ac aeth ati i roi prawf ar ei ragfynegiad.

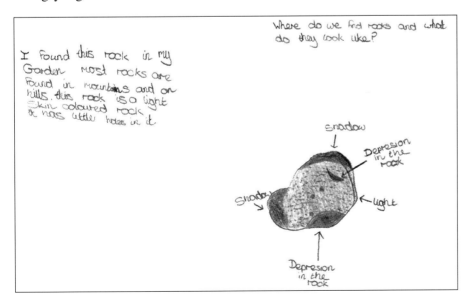

Stuart

Mae adroddiad Peter yn dangos iddo wneud mesuriadau perthnasol, sef mesur màs y cerrig cyn eu rhoi mewn dŵr ac wedi hynny. Sicrhaodd ei fod yn brawf teg trwy osod y cerrig mewn dŵr am yr un cyfnod o amser a sicrhau nad oedd yn mesur y dŵr ar wyneb y cerrig. Defnyddiodd y mesuriadau i lunio casgliadau ynglŷn â'i ragfynegiad. Er bod màs y ddwy garreg yn wahanol, ac nad yw felly wedi cymharu dwy garreg union yr un fath, y mae wedi cymharu'r dŵr a amsugnwyd gan y ddwy garreg mewn ffordd deg. O drafod, efallai y gellid dargafod a yw'n sylweddoli na allai ddefnyddio'r canlyniadau hyn i ddweud bod tywodfaen yn amsugno mwy o ddŵr na'r garreg lwyd. Ymddengys bod ei waith ar lefel 3. Gellid ei annog i gysylltu ei arsylwadau am y garreg â faint o ddŵr y mae'r garreg yn ei amsugno er mwyn ceisio egluro ei ddarganfyddiadau a thrwy hynny symud ymlaen tuag at lefel 4.

Experiment to see if stones soak up water

We chose 2 different stones, one was hard and grey, the other sandstone.
We thought the sandstone might hold water.

We weighed the stones.

STONE   WEIGHT (dry)
GREY   112g
      WON'T
SANDSTONE
      WILL   120g

We placed the stones in water for 5 minutes.
We carefully dried the stones and weighed them again.

STONE   WEIGHT   Results after soaking
GREY   113g

SANDSTONE   122g

They both absorbed water but the one that we thought would take in water absorbed more.

Peter

4.3 Asesu dealltwriaeth plant (Rhan o TC3)

Mewn gwaith yn gysylltiedig â chreigiau, pridd a thywydd, dangosir cynnydd o lefel 2 i lefel 5 trwy:

Lefel 2: Cymharu gwahanol greigiau a phriddoedd a'u didoli'n grwpiau yn nhermau nodweddion y gellir arsylwi arnynt.

Lefel 3: Ymwybyddiaeth bod creigiau a defnyddiau adeiladu eraill yn cael eu newid gan brosesau hindreulio fel gwresogi, oeri, gwasgu, estyn a sgrafellu. Gwybod bod dŵr yn gallu bodoli fel solid ac fel hylif a bod modd cildroi'r newid.

Lefel 4: Gwybod sut y mae creigiau a phriddoedd yn cael eu ffurfio a bod modd gwahanu gronynnau o wahanol faint a gwahanol fathau mewn pridd trwy ogrwn neu waddodi. Gwybod ystyr ymdoddi, rhewi, anweddu a chyddwyso a bod y rhain yn newidiadau y gellir eu cildroi.

Lefel 5: Gwybod dan ba amgylchiadau y mae rhewi, ymdoddi, cyddwyso ac anweddu yn digwydd a phwysigrwydd cyddwyso ac anweddu yn y gylchred ddŵr.

Mae gwaith ysgrifennu a lluniau Louise yn dangos iddi grwpio'r creigiau trwy ystyried: a oes brychni arnynt ai peidio? Mae hi'n ymwybodol hefyd fod y creigiau ym mhob grŵp yn debyg mewn rhai ffyrdd ac yn wahanol mewn ffyrdd eraill. Mae cymharu a grwpio creigiau fel hyn yn dangos gwaith ar lefel 2.

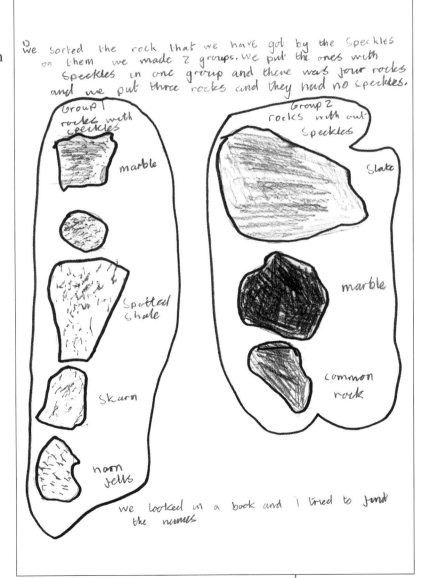

Louise

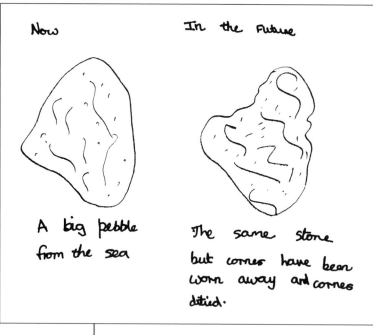

Now

In the Future

A big pebble from the sea

The same stone but corners have been worn away and corners ditied.

Kelly

Mae Kelly yn egluro ei bod hi'n disgwyl i gorneli'r garreg dreulio yn y dyfodol. Mae hi'n ymwybodol o'r newidiadau a allai digwydd i'r graig, ond nid yw'n ceisio egluro sut y gallai'r graig dreulio, felly nid yw'n darparu tystiolaeth o ddealltwriaeth. Byddai angen trafod ei syniadau am y broses hindreulio er mwyn cadarnhau bod y gwaith ar lefel 3.

Nododd Kim rai o effeithiau hindreulio ac, mewn trafodaeth, eglurodd mai rhywbeth graddol ydyw, yn digwydd naill ai oherwydd y tywydd neu oherwydd bod y cerrig yn rhwbio yn erbyn ei gilydd. Mae Kim yn gallu egluro sut y mae hindreulio yn digwydd felly mae'r agwedd hon ar ei gwaith ar lefel 3.

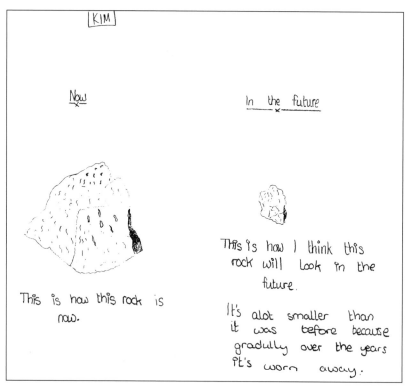

KIM

Now

In the future

This is how this rock is now.

This is how I think this rock will look in the future.

It's alot smaller than it was before because gradually over the years it's worn away.

Kim

Mae gwaith Rosie yn dangos gwybodaeth fanwl am broses hindreulio. Fel Kim, mae hi'n ymwybodol bod newidiadau a achosir gan hindreulio yn digwydd yn araf deg. Mae'n mynd gam ymhellach, fodd bynnag, trwy ddisgrifio sut y mae'r darnau o graig yn cael eu hysgubo i'r môr, gan achosi rhagor o erydu. Mae hyn yn dangos dealltwriaeth gadarn ar lefel 3. Mewn trafodaeth gallai Rosie ddatgelu a yw hi'n gwybod beth sy'n digwydd i'r tameidiau o graig sy'n cael eu hysgubo ymaith ac i ba raddau y mae hi'n ymwybodol, fel Rachel isod, y gall y rhain ffurfio gwaddodion a dod yn rhan o greigiau neu briddoedd yn y pen draw.

Mae Rachel yn disgrifio effeithiau hindreulio, gan egluro bod darnau o'r graig yn torri ymaith i ffurfio tywod a phridd. Mae ei disgrifiad yn dangos ei bod yn ymwybodol o'r ffordd y mae pridd yn cael ei ffurfio, ac yn deall y gall gwahanol fathau o dywydd a'r môr gludo priddoedd ymaith. Mae'r agweddau hyn yn dangos cyrhaeddiad ar lefel 4.

Rosie

> Very slowly the wind rain and sun has worn the stone away. The wind has done it by blowing on it and made parts of the stone weak and aventully break of bit by bit. The rain gets into the cracks the sun make. The sun keeps shining on the stone and makes the stone hot. When the stone gets hot it expand and that is when it cracks. The rain then gets into the cracks and wears more of the stone away. If the stone is near the sea or a river then when the tide comes in it takes the stone with it and it gets tossed about whitch wears the stone away too.

Now	In 50 years
	It will be a bit smaller and a few dents in it.
The rock will be very old now.	The weather will wear away the rock.

> The weather moves the rock and tiny pieces fall off which form sand.
> The wind, rain, snow, sun and Hail move the stone.
> Rocks in or by the sea will be moved and form sand and soil more quickly than others.

Rachel

Yn llun David, dangosir yr Haul fel ffynhonnell wres, eto nid yw ei waith ysgrifenedig yn dangos ei fod yn deall sut y mae newidiadau yn y tymheredd yn effeithio ar y gylchred ddŵr. Mae'n sôn bod y môr yn anweddu, ond nid oes unrhyw awgrym o ddŵr yn newid cyflwr. Yn wir, ymddengys bod y dŵr yn cael ei gasglu fel dŵr mewn cymylau yn unig. Nid yw David yn awgrymu pam y dylai'r dŵr ddisgyn o'r cymylau. Felly nid yw wedi dangos ei fod yn deall y prosesau ffisegol yn llwyr. Mae sylwadau David a'i luniau yn awgrymu nad yw ei waith wedi cyrraedd lefel 5 hyd yn hyn.

Mae llun ac esboniad Peter, yn wahanol i rai David, yn rhoi sylw i effeithiau newid tymheredd. Mae'n sôn bod gwres yn achosi i'r dŵr anweddu, ac wrth i'r tymheredd ostwng, bod glaw yn mynd yn ôl i'r môr. Mae Peter yn nodi hefyd ei bod yn broses barhaus. Trwy holi ymhellach gellid gweld faint y mae Peter yn ei ddeall. Ond, mae'r esboniad o'r gylchred ddŵr yn nhermau effeithiau newid tymheredd yn dangos bod yr agwedd hon ar ei waith yn nes at lefel 5 na gwaith David.

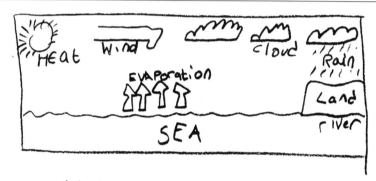

The water in the sea is evaporating and then The water changes into a cloud and then the wind blows it and then the rain comes out of the cloud

David

Water Evaportion by the heat of the Sun When it is cold the rain falls and goes back into the sea. It carryes on like that every time it rains. It is called a Water cycle. It goes roond in a cirick. Also Wind moves clouds across the land

Peter

Cefndir gwyddonol

Creigiau a phriddoedd

Tarddiad ac adeiledd y Ddaear

Mae tystiolaeth wyddonol gref sy'n awgrymu i'r Ddaear ymffurfio tua 4500 miliwn o flynyddoedd yn ôl. Mae'r diagram isod yn rhoi rhyw syniad am faint o amser rydym ni'n sôn. Ond, mae'n anodd, os nad yn amhosibl, amgyffred amser filiynau o flynyddoedd yn ôl.

Hanes y Ddaear

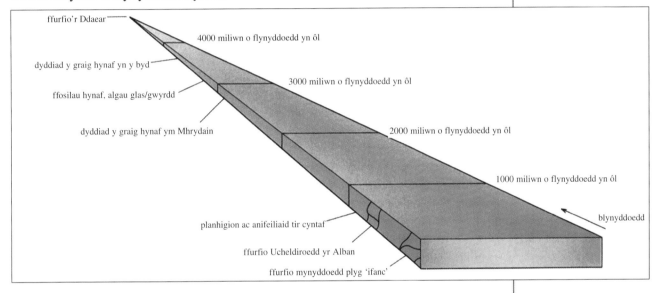

- ffurfio'r Ddaear
- 4000 miliwn o flynyddoedd yn ôl
- dyddiad y graig hynaf yn y byd
- 3000 miliwn o flynyddoedd yn ôl
- ffosilau hynaf, algau glas/gwyrdd
- dyddiad y graig hynaf ym Mhrydain
- 2000 miliwn o flynyddoedd yn ôl
- 1000 miliwn o flynyddoedd yn ôl
- blynyddoedd
- planhigion ac anifeiliaid tir cyntaf
- ffurfio Ucheldiroedd yr Alban
- ffurfio mynyddoedd plyg 'ifanc'

Ymffurfiodd y Ddaear fel cwmwl o nwy yn chwyrlïo o amgylch yr Haul, ac yna oerodd yn belen o hylif poeth. Wrth i'r Ddaear oeri mwy, dechreuodd y defnydd hylif ar du allan y belen ymsolido a ffurfiodd cramen dros wyneb y Ddaear. Hyd yn oed heddiw, biliynau o flynyddoedd yn ddiweddarach, o dan yr wyneb cymharol oer o greigiau, dŵr a phethau byw, y mae canol poeth tu hwnt, a llawer ohono'n hylif. Wrth fynd i lawr un cilometr dan y ddaear mewn mwynglawdd, gellir teimlo'r tymheredd yn codi. O gwmpas 200 cilometr dan y ddaear, mae'r tymheredd tua 1500 °C.

Mae'n bosibl gweld sut adeiledd sydd y tu mewn i'r Ddaear trwy astudio tonnau sioc, neu donnau seismig, o ddaeargrynfâu. Mae rhai mathau o donnau yn teithio trwy solidau ond prin yn teithio trwy hylifau, ac felly trwy edrych ar lle mae'r tonnau wedi cyrraedd (neu ddim wedi cyrraedd) wrth iddynt deithio drwy'r Ddaear oddi wrth ddaeargryn mewn

Adeiledd y Ddaear

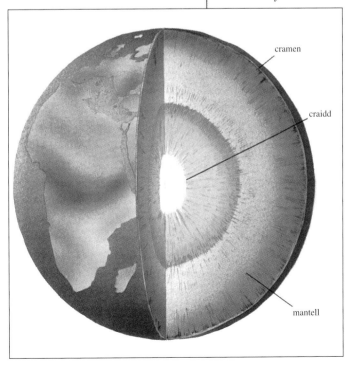

- cramen
- craidd
- mantell

man arbennig, rydym yn gallu dangos bod ardal yng nghanol y Ddaear wedi'i gwneud o hylif. Trwy ddadansoddi'r tonnau seismig ymhellach, gwelir awgrym bod canol y Ddaear yn cynnwys haenau, fel a ddangosir yn y diagram.

Mae trwch yr haen allanol, sef **cramen** y Ddaear, yn amrywio. Y trwch cyfartalog o dan y cefnforoedd yw 6 km (tua 4 milltir), a dan y cyfandiroedd mae'r gramen yn 40 km (25 milltir) o drwch. O dan y gramen mae haen o'r enw **mantell**. Mae'r fantell yn 2900 km o drwch – llawer mwy trwchus na'r gramen.

Mae'r gair 'mantell', fel 'cramen', yn cyfeirio at ryw fath o orchudd. Fel y mae'r gramen yn gorchuddio'r fantell, mae'r fantell yn gorchuddio'r **craidd**. Mae craidd y Ddaear wedi'i wneud o ddefnydd dwys – haearn a nicel yn bennaf. Amcangyfrifir bod y pellter rhwng arwyneb y craidd a chanol y Ddaear yn 1400 km.

O gymharu â'r pellteroedd mawr hyn, dim ond crafu wyneb y Ddaear mae gweithgareddau dynol. Mae'r mwyngloddiau dyfnaf tua 3.5 km o ddyfnder (ychydig dros 2 filltir), a dim ond 19 km (tua 12 milltir) yw'r twll arbrofol a wnaed yn Texas. Fe fydd hi dipyn yn fwy anodd teithio i ganol y Ddaear ac allan yr ochr arall na theithio o'i hamgylch mewn 80 diwrnod!

Creigiau a mwynau

Mae cramen y Ddaear wedi'i gwneud o graig. Yma ac acw, mae'r graig i'w gweld yn eglur, fel clogwyni a mynyddoedd; ond fel arfer mae'r graig ynghudd dan ddŵr neu bridd a'r planhigion sy'n tyfu ynddo.

Rydym yn dueddol o feddwl am greigiau fel talpiau mawr unigol. Eto, i wyddonwyr mae'r tywod ar y traeth yn graig fel ag y mae'r clogwyn tywodfaen y daeth y tywod ohono. Er ein bod yn tueddu i wahaniaethu ar lafar rhwng cerrig a chreigiau oherwydd eu maint neu eu siâp, creigiau yw cerrig hefyd. Nid oes raid i greigiau fod yn fawr, na bod yn un talp, neu hyd yn oed fod yn galed. Y defnydd ei hun sy'n bwysig: hynny yw, math arbennig o ddefnydd yw craig.

Strwythur gwenithfaen

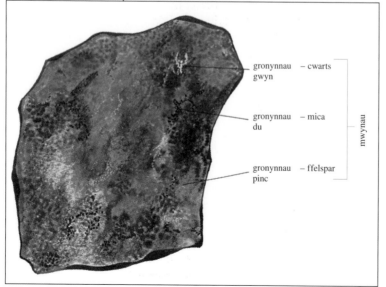

gronynnau gwyn – cwarts

gronynnau du – mica

gronynnau pinc – ffelspar

mwynau

Mae creigiau wedi'u gwneud o fwynau, fel ffelspar, mica a chwarts. Solidau sy'n bodoli'n naturiol yw mwynau ac mae cyfansoddiad cemegol y mwynau yn gyson trwyddynt. Gall craig fod wedi'i gwneud o un mwyn neu nifer o wahanol fwynau.

Mae'r llun ar y chwith yn dangos craig gyffredin, sef gwenithfaen; byddai'r tri mwyn i'w gweld fel grisialau o wahanol liw. Mae'r union fathau o fwynau, a'u lliw, yn amrywio o un gwenithfaen i'r llall.

Ffurfio creigiau

Y mae tair prif ffordd o ffurfio creigiau.

Y ffordd gyntaf yw wrth i ddefnydd tawdd oeri ac ymsolido. Creigiau **igneaidd** yw creigiau a ffurfir fel hyn, o'r gair Lladin *ignis,* sef tân. Mae gwenithfaen a basalt yn enghreifftiau. Mae creigiau o'r fath yn dal i gael eu ffurfio gan losgfynyddoedd, sy'n codi defnydd hylif o berfeddion y Ddaear i'r wyneb.

Mae'r ail ddull o ffurfio creigiau yn aml yn dechrau wrth i greigiau eraill dorri'n ddarnau bach oherwydd effaith dŵr, gwynt ac iâ; ac wrth i sylweddau cemegol mewn aer a dŵr ymosod arnynt. Mae'r darnau bach hyn yn cael eu cludo gan afonydd neu'r môr, neu'n cael eu chwythu ar ffurf tywod. Yn y pen draw, maent yn cyrraedd y môr. Yno maent yn suddo gan ffurfio gwaddod. Wrth i haenau o waddod ymgasglu, maent yn gwasgu'r gwaddod oddi tanynt nes ei gywasgu'n graig **waddod**. Un graig sy'n cael ei ffurfio fel hyn weithiau yw tywodfaen, er bod llawer o dywodfeini hefyd wedi'u ffurfio mewn amodau sych mewn diffeithdiroedd o dywod (mewn rhai chwareli tywod yn ne Lloegr mae olion twyni tywod i'w gweld ar wyneb y graig). Mae mathau eraill o greigiau gwaddod yn cael eu ffurfio wrth i ddŵr sychu, gan ddyddodi'r mwynau a oedd wedi hydoddi ynddo: er enghraifft, ceir dyddodion o halen craig wrth i foroedd bas anweddu. Mae grŵp arall o greigiau gwaddod yn cael eu gwneud o dan y môr wrth i sgerbydau anifeiliaid, fel cregyn a chwrelau, ymgasglu'n raddol; mae carreg galch a sialc yn enghreifftiau.

Ystyr metamorffosis yw newid ffurf; mae proses o'r fath yn arwain at y trydydd math o graig. Mewn creigiau **metamorffig** mae strwythur eu grisialau wedi'i newid o ganlyniad i'r gwres tanbaid a'r gwasgedd yn ddwfn yng nghramen y Ddaear. Mae siâl, er enghraifft, yn cael ei throi'n llechen gan broses o'r fath, a charreg galch yn troi'n farmor.

Yn dilyn cyfnodau o ffurfio creigiau mewn unrhyw fan arbennig, yn aml ceir cyfnodau heb ddim yn digwydd. Canlyniad hyn yw fod creigiau yn cael eu gosod mewn haenau; yr enw am yr haenau hyn yw **strata**.

Adnabod mwynau

Gellir astudio ac adnabod mwynau trwy ddefnyddio microsgopau arbennig, trwy eu dadansoddi'n gemegol a thrwy archwilio eu priodweddau ffisegol. O'r rhain, edrych ar eu priodweddau ffisegol yw'r ffordd symlaf a mwyaf uniongyrchol o adnabod mwynau. Er y gall ymddangosiad y graig ddweud ambell beth amdani, gall ei golwg hefyd fod yn gamarweiniol.

Mae'n bosibl mai'r briodwedd sy'n datgelu'r mwyaf o wybodaeth yw pa mor galed yw'r mwyn. Gellir cynnal prawf ar galedwch mwyn trwy ei grafu gyda mwyn safonol – un yr ydych yn gwybod pa mor galed ydyw. Ceir graddfa safonol o ddeg mwyn o'r enw **Graddfa Mohs**. Rhoddir rhif 1 i'r mwyn meddalaf, a 10 i'r caletaf.

Gallwch grafu mwyn gyda phopeth sy'n galetach na'r mwyn ei hun, felly gellir ei osod ar y raddfa. Gellir defnyddio pethau heblaw'r mwynau safonol: mae caledwch ewin, er enghraifft, tua 2.5 a llafn cyllell boced arferol yn 6.5.

1	talc (fel mewn powdr talc)
2	gypswm (e.e. plastr Paris)
3	calchit (e.e. carreg galch)
4	fflworit (a elwir yn fflwospar hefyd)
5	apatit (sydd mewn enamel dannedd hefyd)
6	orthoclas (math o ffelspar)
7	cwarts (e.e. grisial craig)
8	topas
9	corwndwm (e.e. rhuddem)
10	diemwnt

Defnyddio creigiau a mwynau

Mae craig yn ddefnydd cyfarwydd ar gyfer adeiladu. Defnyddir carreg galch, tywodfaen, marmor a gwenithfaen yn garreg adeiladu; torrir llechi i'w rhoi ar doeon a gwenithfaen ar gyfer ymylon palmentydd; tywodfaen Efrog yw'r cerrig palmant hen ffasiwn yng ngwledydd Prydain fel arfer. Er nad oes cymaint o gerrig yn cael eu defnyddio fel hyn yn y blynyddoedd diwethaf, mae llawer iawn o greigiau yn dal i gael eu cloddio ar gyfer adeiladu ffyrdd a morgloddiau. Mae llawer o ddefnyddiau adeiladu eraill yn cael eu cynhyrchu o greigiau fel deunydd crai: er enghraifft, gwneir sment o glai a charreg galch, a'i gymysgu â thywod i wneud morter, neu dywod a graean i wneud concrit.

Mae mwynau yn ffynhonnell fetelau a defnyddiau eraill. Mae mwyn crai haearn (sy'n cynnwys y mwyn haematit) yn cael ei brosesu i wneud haearn. Tywod a ddefnyddir yn bennaf i wneud gwydr. Darnau o fwynau prin a phrydferth yw gemau – wedi eu torri a'u sgleinio i'w dangos yn eu holl ogoniant.

Pridd

Yn gyffredinol, mae plant ac oedolion fel ei gilydd yn credu mai defnydd sy'n darparu cynhaliaeth a maethynnau a lle i blanhigion dyfu ynddo yw pridd. Mae'r diffiniad hwn yn gywir i ryw raddau ond nid yw'n ddigon manwl, oherwydd mai dim ond am yr haen o bridd y gallwn ei gweld y mae'n sôn. I gael darlun llawnach, mae'n rhaid i chi gloddio i lawr at ran uchaf y graig sydd o dan yr wyneb. Enw trawstoriad fel hwn isod yw proffil pridd. Mae'r proffil yn dangos haenau a gellir eu rhannu'n dair prif adran: y famgraig, isbridd ac uwchbridd.

Proffil pridd

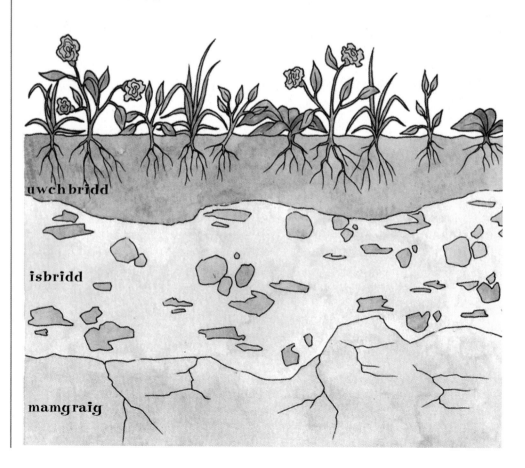

uwchbridd

isbridd

mamgraig

Y **famgraig** yw'r defnydd y mae'r pridd wedi datblygu ohono, er bod y pridd hwn yn aml wedi'i symud fel nad yw yn union uwchben ei famgraig (gweler isod). Enw arall ar y defnydd hwn yw **craigwely**. Mae'r graig hon fwy neu lai yn solid, ond bydd darnau ohoni'n torri i ffwrdd ar yr wyneb neu mewn craciau, a dechrau troi'n bridd.

Uwchben y famgraig mae'r darnau o graig yn mynd yn llai, a'r darnau hyn sy'n ffurfio'r **isbridd**. Efallai y bydd rhai o'r gronynnau pridd yn glynu wrth ei gilydd, gan ffurfio talpiau mwy. Gall rhai gwreiddiau dreiddio i'r isbridd, ac efallai y bydd rhywfaint o ddefnydd planhigol ac anifeiliol. Lle mae'r prosesau bywyd hyn yn dechrau ymddangos, dyma'r arwyddion cyntaf fod isbridd yn troi'n uwchbridd.

Mae **uwchbridd** yn cynnwys gweddillion planhigion wedi pydru (hwmws) yn gymysg â darnau o graig wedi malu'n fân. Felly mae uwchbridd yn gymysgedd o ddefnyddiau o ffynonellau byw a ffynonellau nad ydynt erioed wedi bod yn fyw.

Mae rhannau 'gwag' rhwng y darnau yn y pridd, bylchau sy'n llawn aer a dŵr. Mae pridd hefyd yn gynefin ar gyfer amrywiaeth o bethau byw, fel mwydod.

Ffurfio pridd

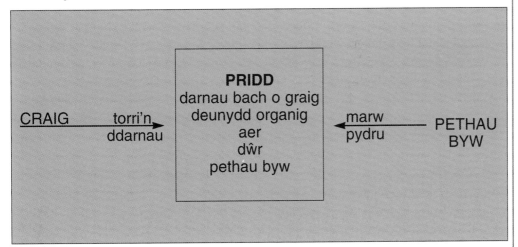

Ffurfio pridd

Hindreulio yw'r enw ar y broses o dorri creigiau yn ddarnau llai sydd wedyn yn dod yn rhan o'r pridd. Enw ar broses gyffredinol yw hindreulio ac mewn rhai achosion nid yw'n cael ei achosi gan yr hin neu'r tywydd o gwbl, fel y disgrifir isod.

Mae dŵr yn bwysig iawn yn y broses o hindreulio a datblygu pridd. Mae dŵr yn treiddio trwy'r haenau uchaf ac i unrhyw graciau yn y graig, neu'n treiddio i'r graig ei hun os yw honno'n graig fandyllog. Os bydd y dŵr hwn yn rhewi, yna bydd yn ehangu a throi'n iâ, gan gracio'r graig. Hyd yn oed os nad yw'r tymheredd yn mynd yn is na'r rhewbwynt, mae'r gwahaniaeth rhwng tymheredd dydd a nos yn ddigon i wneud i wyneb y graig ehangu a chyfangu, nes gwneud iddi hollti yn y pen draw. Math arall o falu mecanyddol sy'n cael ei achosi gan iâ mewn rhewlifau. Mae'r iâ yn symud yn araf a thameidiau o gerrig o dan y rhewlif yn crafu wyneb y graig oddi tanynt a'i herydu. Mae dŵr hefyd yn gallu hindreulio rhai creigiau yn gemegol: gall carbon deuocsid o'r aer hydoddi mewn dŵr i ffurfio hydoddiant asidig, sy'n hydoddi'r graig.

Yr ail ffordd y mae dŵr yn cynorthwyo datblygiad pridd yw trwy gynnal bywyd. Mae pethau byw fel planhigion yn gallu achosi i greigiau hindreulio'n fiolegol; er enghraifft, gall gwreiddiau dyfu i graciau yn y graig a'u gwneud yn lletach. Pan fydd pethau byw yn marw a phydru, mae eu gweddillion yn cymysgu â'r gronynnau o graig. Mae rhai organebau, fel mwydod a bacteria, yn helpu i dorri'r defnydd organig hwn yn ddarnau llai.

Trydydd cyfraniad dŵr i'r broses o ddatblygu pridd yw'r ffordd y mae'n aildrefnu gronynnau'r pridd trwy gario defnydd o le i le wrth symud trwy'r pridd.

Mae priddoedd yn cael eu ffurfio uwchben y famgraig, ond nid yw hyn yn golygu fod unrhyw bridd o anghenraid yn deillio o'r craigwely oddi tano. Mae dŵr, iâ neu wynt yn gallu symud pridd a'i adael yn rhywle arall. Yng ngwledydd Prydain, er enghraifft, mae llenni iâ wedi cario llawer o'r pridd gwreiddiol o sawl rhan o'r wlad a'i ollwng rai cilometrau i ffwrdd. Wedi i'r llenni iâ ymdoddi, roedd y graig yn noeth a di-bridd a dechreuodd gael ei hindreulio, gan ffurfio pridd newydd. O ganlyniad, cafodd y rhan fwyaf o briddoedd yng ngwledydd Prydain eu ffurfio er diwedd Oes yr Iâ diwethaf, 10,000 o flynyddoedd yn ôl.

Gwahanol briddoedd

Mae'n amlwg fod natur y famgraig yn effeithio ar y math o bridd sy'n cael ei ffurfio. Mae pridd tywodlyd arfordir Swydd Gaerhirfryn yn hollol wahanol o ran ymddangosiad i'r pridd sialc wrth glogwyni Dover.

Yn ogystal â bod yn wahanol o ran ymddangosiad, mae priddoedd yn teimlo'n wahanol hefyd. Mae ansawdd pridd yn dibynnu'n bennaf ar faint y gronynnau sydd ynddo. Fel arfer, gwelir bod tri chategori o ran maint y gronynnau mewn pridd: y mwyaf yw **tywod** (diamedr o 2 mm i 0.06 mm); islaw hyn fe ddaw silt; ac mae'r gronynnau lleiaf (diamedr llai na 0.002 mm) yn ffurfio clai. Mae teimlad y pridd yn dibynnu ar gyfraneddau'r tywod, clai a silt: mae priddoedd tywod yn teimlo'n dywodlyd neu'n raeanog, tra bo priddoedd cleiog yn teimlo'n llyfn (neu'n ludiog pan fyddant yn wlyb).

Gwahaniaeth arall rhwng priddoedd yw eu hadeiledd; hynny yw, i ba raddau y mae'r gronynnau tywod, clai neu silt yn glynu wrth ei gilydd. Mae faint o ddŵr sydd mewn priddoedd hefyd yn amrywio – gall pridd draenio'n dda neu gall fod yn llawn ddŵr. Nid y famgraig yn unig sy'n gyfrifol am y gwahaniaethau hyn. Mae hinsawdd yn chwarae rhan, yn enwedig y glawiad. Felly hefyd siâp y tir, gyda phridd yn cael ei sgubo tuag i lawr ac yn casglu wrth waelod llethr. Mae faint o blanhigion sy'n tyfu ynddo yn effeithio ar gynnwys organig y pridd. Yn olaf, mae priddoedd yn newid dros gyfnod o amser, felly mae pridd ifanc yn wahanol i hen bridd sy'n tarddu o'r un famgraig.

Mae'r diagram ar ben y dudalen nesaf yn dangos y berthynas rhwng creigiau a phridd a sut y cânt eu ffurfio.

Tirffurfiau a thirwedd

Mae'n hawdd credu bod y tirffurfiau a welwn ni heddiw wedi bod yno erioed. Ond maent wedi ffurfio dros filiynau o flynyddoedd ac mae'r prosesau yn parhau. Roedd y tirwedd yng Nghymru yn edrych yn wahanol iawn filoedd o

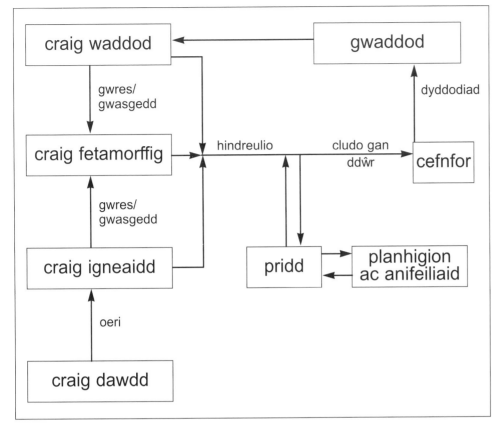

Sut y ffurfir creigiau a phriddoedd

flynyddoedd yn ôl, ac yn yr un modd bydd yn wahanol eto yn y dyfodol. Mae'r newidiadau yn digwydd dros gyfnod mor hir, prin ein bod yn sylwi arnynt.

Wedi i graig gael ei malu gan brosesau hindreulio, mae'r darnau yn cael eu treulio a'u cludo ymaith; **erydu** yw enw'r broses gyfan. Mae afonydd, rhewlifau, tonnau a gwynt oll yn gallu malu a symud darnau o greigiau. Maent yn siapio'r tirlun: mae afonydd a rhewlifau yn cerfio dyffrynnoedd tra bo'r gwynt yn creu'r siapiau anghyffredin a welir ym mryniau rhai ardaloedd sych. Gan fod y defnydd a erydwyd fel arfer yn symud tuag i lawr dan ddylanwad disgyrchiant, effaith gyffredinol hyn yw gostwng wyneb y tir.

Mae gwahanol fathau o greigiau, fodd bynnag, yn cael eu herydu'n wahanol. Tra bo creigiau llai gwydn yn cael eu treulio i roi tir isel, mae'r creigiau mwy gwydn yn aros fel ucheldiroedd. Ar yr arfordir, mae creigiau llai gwydn (fel clai a sialc) yn cael eu herydu i ffurfio baeau, gan adael pentiroedd o greigiau mwy gwydn (fel carreg galch a gwenithfaen).

Wrth i waddod gael ei ddyddodi, o dipyn i beth mae lefel y tir yn codi. Gwaddodiad yw darnau bach o greigiau a gafodd eu cludo gan wahanol ddulliau o erydu yn cael eu gollwng i ffurfio haenau. Mae'n digwydd yn y môr a'r morydau, ac ar y tir hefyd. Gwaddodion yw'r tywod sy'n cael ei chwythu o fan i fan yn y diffeithdiroedd. Wrth i waddodion gael eu gwasgu at ei gilydd gall greu craig waddod (gweler 'Ffurfio creigiau' uchod).

Gan fod gwaddodion yn tueddu i gael eu gosod mewn haenau sydd fwy neu lai'n llorweddol, effaith erydu a gwaddodi yn y pen draw yw gwneud wyneb y Ddaear yn dirlun llyfn heb nodweddion. Mae llawer o greigiau igneaidd hefyd yn cael eu gosod yn llorweddol yn wreiddiol. Ond, mae symudiadau'r ddaear yn gallu anffurfio'r creigiau llorweddol. Mae cramen y Ddaear wedi'i gwneud o **blatiau**, sef talpiau anferth o gramen a mantell. Mae'r platiau yn filoedd o gilometrau ar draws, ac yn symud yn araf drwy'r amser, fel arfer rhwng 2 a 5 cm y flwyddyn (gweler isod). Wrth i'r platiau symud at ei gilydd mae'r creigiau yn plygu, fel carped sy'n crychu ar lawr llithrig. Wrth i'r graig godi, mae mynyddoedd yn cael eu ffurfio. Mae'r Alpau yn enghraifft o fynyddoedd plyg cymharol ifanc.

Gall y tirwedd newid yn gyflymach os bydd gweithgaredd folcanig a daeargrynfâu. Mae rhai llosgfynyddoedd yn echdorri dan y moroedd gan greu ynysoedd folcanig (er enghraifft ynysoedd Hawaii), tra bo echdoriadau ar rai ynysoedd wedi'u chwalu i ebargofiant, nes iddynt ddiflannu dan lefel y môr (er enghraifft Krakatau, a gafodd ei dinistrio ym 1883). Dim ond nifer bach (tua 25) o'r 500 o losgfynyddoedd byw sy'n echdorri ar unrhyw adeg. Mae rhai yn echdorri drwy'r amser ond mae'r rhan fwyaf ynghwsg am gyfnodau hir ar ôl echdorri am gyfnodau cymharol fyr.

Mae craig hylif (**lafa**) yn ogystal â nwy yn dod o losgfynyddoedd. O dan wyneb y Ddaear mae'r ddau yn gymysg, a'r enw arnynt yw **magma**. Mae hwn yn cael ei ffurfio yn rhan isaf cramen y Ddaear ac yn rhan uchaf y fantell. Wedi iddo gael ei ryddhau a chyrraedd wyneb y Ddaear, mae'r nwy yn dianc o'r magma a'r lafa yn troi'n graig igneaidd solid.

Canolbwynt ac uwchganolbwynt daeargryn

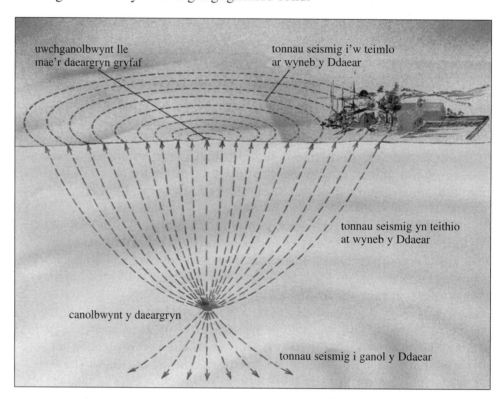

uwchganolbwynt lle mae'r daeargryn gryfaf

tonnau seismig i'w teimlo ar wyneb y Ddaear

tonnau seismig yn teithio at wyneb y Ddaear

canolbwynt y daeargryn

tonnau seismig i ganol y Ddaear

Mae'r rhan fwyaf o ddaeargrynfâu yn digwydd lle mae rhannau o'r Ddaear yn symud heibio i'w gilydd ar hyd ffin plât neu hollt lai – **ffawtiau** yw enw'r ardaloedd hyn. Efallai fod rhan o'r ardal enfawr yn methu symud, am ryw reswm, nes bod y gwasgiant a'r gwasgedd yn cynyddu. Wrth i'r gwasgiant gael ei ryddhau'n sydyn, achosir dirgryniadau sy'n cael eu trosglwyddo drwy'r graig. **Canolbwynt** y daeargryn yw'r man lle mae'r creigiau yn llwyddo i symud. Yr **uwchganolbwynt** yw'r man ar wyneb y Ddaear sy'n union uwchben y canolbwynt. Gall symudiad y tir fod yn ddigon i wneud i wyneb y Ddaear hollti. Mae dirgryniad y Ddaear yn gallu achosi effeithiau enbyd eraill: tirlithriadau, a daeargrynfâu dan y dŵr sy'n gallu achosi tonnau **tsunami** anferth (a elwir yn 'donnau llanw') sy'n gallu gwneud difrod difrifol i'r arfordir.

Defnyddir **seismomedr** i fesur symudiad y Ddaear. Gyda seismomedr gellir rhoi rhif ar raddfa Richter i bob daeargryn. Mae'r raddfa yn cofnodi maint y dirgryniadau; nid yw'n cofnodi pa mor hir y maent yn parhau.

Ym 1990 bu daeargryn yn Lloegr a oedd tua 5 ar raddfa Richter. Mae hyn yn swnio'n beryglus o agos at gryfder y daeargryn dinistriol yn San Francisco yn yr un flwyddyn, sef 7.3 ar raddfa Richter. Serch hynny, mae codi un uned ar y raddfa yn golygu dirgryniadau deg gwaith yn fwy a chynnydd bron i gan gwaith yn fwy yn yr egni. Y daeargryn gwaethaf i gael ei fesur oedd un yn Assam, India, ym 1897, sef 8.7 ar raddfa Richter. Roedd daeargryn yn Alaska ym 1964 yn mesur 8.6.

Pan edrychwn ar leoliad llosgfynyddoedd byw a'r mannau lle mae daeargrynfâu mawr yn digwydd, gwelwn bod patrwm amlwg. Yn gyffredinol maent yn digwydd o fewn bandiau cul ar hyd llinellau penodol ar wyneb y Ddaear. Y llinellau hyn yw ffiniau platiau'r Ddaear. Mae o leiaf 15 o'r platiau hyn. Mae saith ohonynt yn fawr iawn (mae un, er enghraifft, dan y Cefnfor Tawel i gyd). Credir yn gyffredinol fod symudiad y platiau hyn yn gyfrifol am losgfynyddoedd, daeargrynfâu a llunio mynyddoedd, pob un ohonynt yn digwydd ar ffiniau platiau neu heb fod ymhell.

Mae siâp y platiau hefyd wedi dylanwadu ar ffurf rhai o'r cyfandiroedd. Mae'r tebygrwydd amlwg rhwng siâp arfordir dwyreiniol De America ac arfordir gorllewinol Affrica yn dangos iddynt fod ynghlwm wrth ei gilydd ar un adeg. Tua 100 miliwn o flynyddoedd yn ôl, yn oes y deinosoriaid, dechreuodd y ddau ddarn o dir ymwahanu, ac maent yn dal i symud.

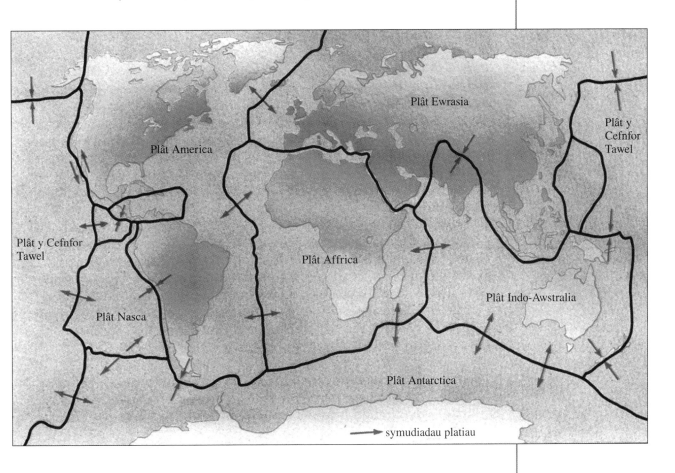

Plât Ewrasia

Plât y Cefnfor Tawel

Plât America

Plât y Cefnfor Tawel

Plât Affrica

Plât Nasca

Plât Indo-Awstralia

Plât Antarctica

→ symudiadau platiau

Tywydd

Atmosffer y Ddaear

Bedair biliwn a hanner o flynyddoedd yn ôl, wrth i'r Ddaear newydd ddechrau ymsolido, byrlymai llawer iawn o nwyon o wyneb y Ddaear i'r atmosffer. Hyd yn oed ar ôl i'r gramen ffurfio, parhaodd llosgfynyddoedd i daflu rhagor o nwy i'r atmosffer. Ar y dechrau, carbon deuocsid a nitrogen oedd y nwyon yn bennaf, gyda nwyon eraill fel methan, ac anwedd dŵr – roedd hi'n rhy boeth i ddŵr fodoli fel hylif. Daeth ocsigen rhydd yn ddiweddarach. Yn wreiddiol mae'n bosibl mai pelydriad yr Haul yn hollti molecylau dŵr oedd yn creu'r ocsigen, ond yn ddiweddarach, ac yn bwysicach, daeth ocsigen i fod wrth i'r planhigion cyntaf ddechrau ei dynnu o garbon deuocsid.

Mae aer o gwmpas y Ddaear i gyd, a grym disgyrchiant sy'n ei ddal yno. Mae tua 10,000 kg o aer uwchben pob metr sgwâr o wyneb y Ddaear (sy'n cyfateb i bwysau tua 120 o bobl). Gellir defnyddio **baromedr** i fesur gwasgedd yr aer, sy'n amrywio o gwmpas 100 kN/m² ar lefel y môr.

Mae mwy o aer yn agosach at y Ddaear nag yn uchel yn yr awyr. Wrth i chi fynd yn uwch, mae'r aer yn teneuo ac felly mae gwasgedd yr aer yn lleihau. Nid oes terfyn allanol penodol i'r atmosffer, ond ystyrir ei fod yn rhai cannoedd o gilometrau o drwch. Gan ei fod yn teneuo wrth fynd yn uwch, mae tua hanner yr atmosffer yn is na 5 cilometr.

Mae tymheredd hefyd yn newid gydag uchder, ond mewn ffordd fwy cymhleth na gwasgedd. Mae'r tymheredd fel petai mewn pedair haen. Mae ein tywydd yn dibynnu i raddau helaeth ar ymddygiad yr atmosffer ar y lefel isaf o'r rhain, sef y **troposffer**. Yn yr haen hon, mae tymheredd yn gostwng wrth i chi fynd yn uwch. Mae'r llun ar ben y dudalen nesaf yn dangos adeiledd yr atmosffer. Mae uchder y terfynau rhwng yr haenau yn amrywio o fan i fan uwchben wyneb y Ddaear. Uchder cyfartalog a ddangosir gyferbyn.

Mae rhan o'r **stratosffer** yn cynnwys oson, sef nwy a ffurfir yn barhaus o ocsigen gan belydriad uwchfioled sy'n dod o'r Haul. Mae'r **haen oson** yn amsugno llawer o'r pelydriad uwchfioled, gan ei rwystro rhag cyrraedd wyneb y Ddaear. Mae oson yn ansefydlog ac yn ymddatod yn naturiol, ond mae'n ymddatod yn gyflymach oherwydd adweithiau cemegol sy'n cael eu cyflymu gan nwyon a wnaed gan bobl – fel y CFCau bondigrybwyll a ddefnyddir mewn chwistrellau aerosol ac oergelloedd, ar gyfer glanhau a gwneud ewyn plastig. Wrth i'r oson yn yr haen leihau, gall rhagor o belydriad uwchfioled dreiddio at y Ddaear, gan niweidio anifeiliaid a phlanhigion.

Cymysgedd o nwyon yw aer. Y ddau brif nwy yn yr aer o'n cwmpas yw nitrogen ac ocsigen. Yn fras, mae aer heb leithder yn gymysgedd o bedair rhan o bump o nitrogen ac un rhan o bump o ocsigen. Mae canrannau bychan o nwyon eraill; y mwyaf o'r rhain yw 1 y cant o argon. Mae cyfansoddiad yr atmosffer fwy neu lai yn gyson hyd at 80 km uwchben wyneb y Ddaear. Yn uwch na hyn, mae'r ocsigen a'r nitrogen yn graddol edwino wrth i nwyon ysgafnach eu disodli.

Mae nwyon eraill yn rhan o'r cymysgedd a'u heffaith yn fwy amrywiol. Mae un o'r nwyon, sef carbon deuocsid, yn cael effaith sylweddol ar yr hinsawdd, er nad oes ond canran cymharol fach ohono yn yr aer (tua 0.03 y cant). Mae'n caniatáu i olau'r Haul dreiddio trwodd i gynhesu wyneb y Ddaear, ond pan mae wyneb cynnes y Ddaear yn rhyddhau pelydriad is-goch, mae'r carbon deuocsid yn ei amsugno ac yn gwrthod gadael iddo ddianc i'r gofod. Yr un yw effaith y gwydr mewn tŷ gwydr, felly gelwir hyn yn **effaith tŷ gwydr**. Gan fod cymaint o danwyddau carbon fel glo ac olew wedi'u defnyddio yn y blynyddoedd diwethaf bu cynnydd sylweddol yn y carbon deuocsid. Mae'r atmosffer wedi cynhesu oherwydd yr holl garbon deuocsid a gallai rhan o'r capiau iâ yn y ddau begwn ddechrau ymdoddi, gan wneud i lefel y môr godi a chreu llifogydd mewn gwledydd isel fel Bangladesh. Nid carbon deuocsid yw'r unig 'nwy tŷ gwydr'; mae methan yn un arall, ac mae methan hefyd ar gynnydd wrth i olew a nwy naturiol gael eu casglu i'w defnyddio (mae nwy naturiol bron â bod yn fethan pur). Mae anwedd dŵr yn yr aer hefyd yn amsugno pelydriad is-goch. Wrth gwrs, dylid nodi bod angen yr effaith tŷ gwydr naturiol i gadw'r Ddaear yn ddigon cynnes i ni fyw arni; dim ond wrth i ni ddylanwadu'n artiffisial ar y broses y mae pethau'n dechrau mynd o chwith.

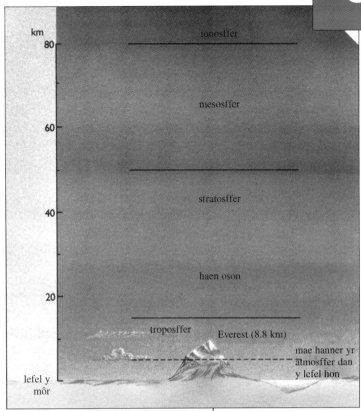

Atmosffer y Ddaear

Yr Haul a'r tywydd

Yr Haul yw prif achos pob tywydd ar y Ddaear. Yr Haul sy'n rhoi'r egni sy'n gwresogi'r atmosffer. Mae llawer o'r gwresogi hwn yn digwydd yn anuniongyrchol; hynny yw, mae egni o'r Haul yn gwresogi'r Ddaear ei hun ac mae'r Ddaear yn ei thro yn anfon gwres i'w hatmosffer. Mae llawer o'r gwres hwn yn cael ei amsugno i'r atmosffer, yn enwedig gan y 'nwyon tŷ gwydr' (gweler yr adran flaenorol). Ar y llaw arall, ar y Lleuad, lle nad oes atmosffer i gadw gwres, mae'r tymheredd yn disgyn cyn ised â −140 °C ar yr ochr sy'n wynebu i ffwrdd oddi wrth yr Haul.

Effeithiau lledred ar wresogi'r Ddaear

Nid yw pob rhan o wyneb y Ddaear yn derbyn gwres a goleuni'r Haul yn gyfartal. Mae'r diagram ar y dde yn dangos pam mae'r ardaloedd yn y pegynau yn oerach na'r ardaloedd ar y Cyhydedd. (Disgrifir amrywiad tymhorol yr effeithiau hyn yng nghanllaw athrawon *Y Ddaear yn y gofod*.)

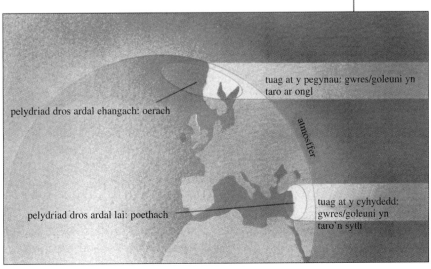

Gwyntoedd

Mae canlyniad arall i'r ffaith fod gwres yr Haul yn cael ei ddosbarthu'n anghyfartal. Wrth i aer gael ei wresogi mae'n ehangu, gan fynd yn llai dwys ac yn ysgafnach nag aer oer, a'i wasgedd yn is. Felly mae ardal o wasgedd cymharol isel o amgylch y Cyhydedd. Mae aer yn symud i'r ardal hon o'r gogledd a'r de i gysoni'r gwahaniaeth mewn gwasgedd. Mae'r aer cyhydeddol, sy'n ysgafnach na'r aer oer sy'n dod i mewn, yn codi uwch ei ben a lledaenu. Wrth wneud hynny mae'n oeri a gostwng eto. Felly mae cylchrediad parhaus o aer rhwng y Cyhydedd a'r Pegynau. Dyma yw gwynt.

Llif aer ar y Ddaear

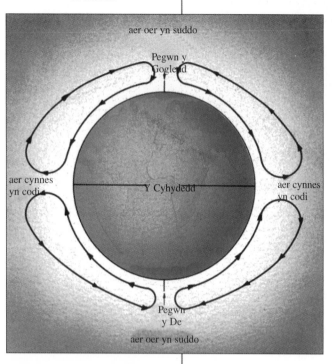

Mae'r diagram ar y chwith yn symleiddio cylchrediad aer y byd. Yn hemisffer y gogledd, mae gwyntoedd yn chwythu o'r gogledd. Gwynt gogleddol yw enw'r gwynt sy'n llifo tua'r de. Mae gwyntoedd yn cael eu henwi yn ôl y cyfeiriad y maent yn dod ohono, gan fod hyn yn datgelu mwy am y tywydd a ddaw yn eu sgil.

Byddai'r patrwm gwynt gogledd-de hwn yn bodoli'n union fel hyn petai'r Ddaear yn sefyll yn llonydd (a'i hwyneb yn llyfn). Fodd bynnag, mae'r Ddaear yn troelli. Mae'r Ddaear yn troelli o'r gorllewin i'r dwyrain gan achosi i wyntoedd yn hemisffer y gogledd wyro tua'r de, fel y dangosir yn y diagramau isod. (Gallwch ddangos hyn drwy ollwng marblen wrth ymyl canol y bwrdd crwn sy'n troi ar beiriant chwarae recordiau, ond bod yr effaith i'w gweld o chwith oherwydd bod y peiriant yn troi'n glocwedd.) Mae'r gwyntoedd gogleddol yn troi'n wyntoedd gogledd-ddwyreiniol ger y Cyhydedd, fel y gwelir ar fap gwyntoedd y byd mewn atlas.

Dyma'r prifwyntoedd mewn lledredau rhwng y Cyhydedd a 30° G (Gogledd Affrica). Yn yr ardal o 30° G i 60° G lle mae gwledydd Prydain, mae'r gwyntoedd uwch sy'n llifo tua'r gogledd yn disgyn gan droi'n wyntoedd arwyneb a gwyro i gyfeiriad gogledd-ddwyreiniol. Gwyntoedd de-orllewinol yw'r rhain, felly, ond fel arfer fe'u gelwir yn wyntoedd y gorllewin. Y prifwyntoedd yng ngwledydd Prydain yw gwyntoedd y gorllewin sy'n dod ag aer o uwchben yr Iwerydd yn eu sgil.

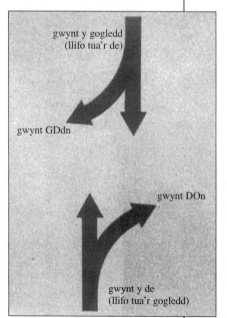

Effaith troelli'r Ddaear ar y gwynt

Mae'r Ddaear yn symud 1670 km/awr wrth y Cyhydedd...

...ond yn llawer arafach wrth y Pegwn...

G

...felly mae unrhyw beth sy'n symud o'r Pegwn i'r Cyhydedd yn cael ei adael ar ôl

Lleithder yn yr aer

Gall dŵr fod yn yr aer ar dair ffurf:

◆ nwy anweledig, sef anwedd dŵr;
◆ diferion o hylif mewn cymylau, glaw a niwl;
◆ eira solid, cesair/cenllysg neu risialau iâ mewn cymylau.

Lleithder yw'r term a ddefnyddir i nodi faint o anwedd dŵr sydd yn yr aer. Gellir defnyddio lleithder i broffwydo glaw. Mae'r model 'Siôn a Siân' lle mae Siôn yn ymddangos gydag ambarél i broffwydo glaw yn gweithio wrth i ddarn o linyn gwt amsugno lleithder a dirdroi wrth i wlybaniaeth yr aer godi.

Mae aer cynnes yn gallu dal mwy o wlybaniaeth. Os yw tymheredd yr aer yn gostwng nid yw'n gallu dal cymaint o wlybaniaeth. Mae'r anwedd dŵr yn cyddwyso'n ddiferion bach o ddŵr. Pan fydd hyn yn digwydd wrth lefel y llawr, mae gwlith yn ymddangos. Pan fydd yn digwydd yng nghanol yr aer mae'n rhoi niwl neu gymylau.

Mae cymylau yn ymffurfio wrth i aer cynnes godi; mae'r tymheredd yn gostwng wrth fynd yn uwch, ac ar ryw bwynt mae'r anwedd dŵr yn cyddwyso (yn union fel y mae'r ager poeth anweledig sy'n dod o degell yn oeri a chyddwyso'n gymylau gweledig o ddiferion dŵr hylif). Mae diferion o ddŵr hylif a grisialau iâ yn hofran yn y cwmwl. Mae dwy broses o fewn y cwmwl yn achosi i ddŵr mewn rhyw ffurf ddechrau disgyn o'r awyr. Mae diferion bach o ddŵr yn uno â'i gilydd, ac wrth gyrraedd rhyw faint arbennig (tua 0.5 mm) maent yn disgyn. Gall diferion o ddŵr hefyd lynu wrth ronynnau o iâ yn y cwmwl. Unwaith eto, pan fydd y rhain yn ddigon trwm, byddant yn disgyn. Os byddant yn ymdoddi ar y ffordd i lawr, mae'n bwrw glaw. Os nad ydynt yn ymdoddi, mae'n bwrw cesair. Mae eira yn ffurf solid ar yr un broses – mae eira'n ffurfio wrth i risialau iâ dyfu'n araf y tu mewn i'r cwmwl nes ffurfio plu eira.

Mae cymylau'n ymddangos fel petaent yn symud trwy'r atmosffer. Mewn gwirionedd, maent yn symud gyda'r atmosffer; hynny yw, cymylau yw rhan weledol y màs o aer sy'n symud.

Rhagolygon y tywydd a mesur

Mae proffwydo'r tywydd yn un dull o ragfynegi gwyddonol. Gellir rhagfynegi'r tywydd trwy gasglu gwybodaeth am yr amodau presennol dros ardal eang a dehongli hyn yng ngoleuni sut y disgwylir i'r aer symud.

Dyma'r rai o'r ffactorau a fesurir sy'n gallu rhoi gwybodaeth am y tywydd yn y dyfodol:

◆ tymheredd yr aer;
◆ gwasgedd yr aer, ac a yw'n codi ynteu'n disgyn;
◆ cyfeiriad a buanedd y gwynt;
◆ y math o gymylau sydd i'w gweld a faint o gymylau sydd yn yr awyr;
◆ lleithder;
◆ pellter gweld (pa mor glir yw'r aer).

Mae swyddfeydd tywydd cenedlaethol yn derbyn adroddiadau rheolaidd o orsafoedd tywydd ar y tir a'r môr. Mae rhai o'r gorsafoedd hyn yn trosglwyddo mesuriadau a wneir yn awtomatig gan eu cyfarpar. Cesglir gwybodaeth hefyd o arsylwadau ar longau.

Cesglir y mesuriadau o bob safle a'u dangos ar siart. Mae hyn yn rhoi crynodeb o'r tywydd ar ryw adeg arbennig. Mae cyfrifiaduron cryf iawn yn dadansoddi dilyniant o'r siartiau hyn a rhagfynegi'r tywydd trwy awgrymu sut y mae'r siartiau yn debygol o edrych dros y dyddiau nesaf. Fersiynau syml o'r siartiau tebygol yw'r mapiau tywydd a welwn mewn papurau newydd.

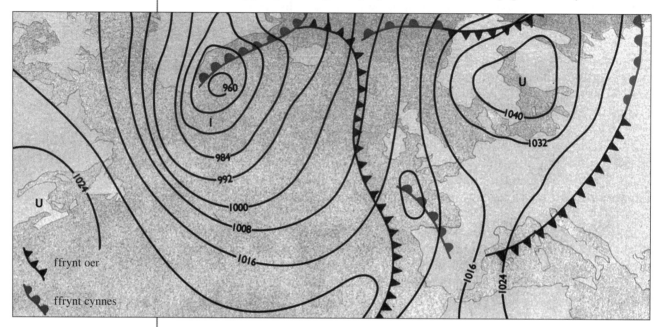

Nodwedd arbennig o bwysig ar y mapiau hyn yw'r isobarrau – sef llinellau sy'n uno ardaloedd lle mae'r gwasgedd yn debyg. Maent yn dangos ardaloedd o wasgedd isel – **diwasgedd**, sef I ar y map – ac ardaloedd o wasgedd uchel – **antiseiclon** – sef U. Mae gwyntoedd mewn diwasgedd yn troi tuag at y canol er mwyn cysoni'r gwasgedd isel ac felly, yn hemisffer y gogledd, maent yn troi mewn cyfeiriad gwrthglocwedd.

Mae diwasgedd yn ffurfio wrth i aer oer o'r pegynau ddod i gysylltiad ag aer cynnes o'r trofannau. Ffryntiau yw'r enw ar y ffin rhwng y ddau fath o aer (mae'r ffryntiau i'w gweld ar y siart). Mae ffryntiau yn dylanwadu llawer ar batrymau'r tywydd mewn hinsoddau tymherus fel gwledydd Prydain. Mewn ffrynt cynnes mae aer cynnes yn dilyn aer oer, ac mewn ffrynt oer mae'r gwrthwyneb yn wir. Mewn diwasgedd mae'r ffrynt cynnes yn dod o flaen y ffrynt oer. Mae'r ddau fath o ffryntiau yn dod â glaw, oherwydd fod aer oer ar y terfyn yn oeri'r aer cynnes, llaith gan gyddwyso'r anwedd dŵr. Mae diwasgeddau yn dod â thywydd anwadal a gwlyb; ceir cyfnod tawelach, mwynach rhwng y ddau ffrynt.

Mae antiseiclonau yn symud yn araf gan ddod â thywydd sefydlog, sych. Mae'r awyr yn aml yn glir, felly yn yr haf pan fydd oriau hir o heulwen a nosau byr, mae'r tywydd yn gynhesach nag arfer. Yn y gaeaf, am gyfnod byr yn unig y gwelir yr Haul ac effaith yr awyr glir yw gadael i wres ddianc, felly mae'r tywydd yn rhewllyd.

Dangosir rhagolygon y tywydd ar fapiau hefyd. Defnyddir nifer o symbolau safonol i gynrychioli tymereddau tebygol, buanedd a chyfeiriad y gwynt, a chymylau, heulwen neu law.

Mae gorsafoedd tywydd yn paratoi gwybodaeth am yr atmosffer ar lefel y ddaear. Mae mesuriadau a wneir yn uwch yn yr atmosffer yn gwneud y rhagfynegi'n fwy cywir. Mae'r wybodaeth hon yn dod i law trwy ddefnyddio awyrennau a radiosondau, sef balwnau sy'n cario trawsyrrydd radio ac offer i fesur gwasgedd, tymheredd a lleithder. Mae'r rhain yn codi i uchder cymaint â 20 km cyn chwalu a disgyn i'r llawr gyda pharasiwt.

Mae glawiad yn amrywio'n fawr o le i le, hyd yn oed rhwng dau fan sy'n eithaf agos at ei gilydd, gan ei fod yn dibynnu ar uchder y tir. Defnyddir radar yn aml erbyn hyn i ganfod glaw. Mae'r diferion o law sy'n disgyn yn adlewyrchu tonnau radio gan roi delwedd ar y sgrîn, yna gall cyfrifiaduron greu llun o batrwm y cawodydd glaw.

Trwy ddefnyddio lloerennau gellir paratoi gwell rhagolygon tywydd. Mae'r lluniau o'r lloerennau yn ddefnyddiol iawn oherwydd eu bod yn gallu edrych ar rannau mawr o'r Ddaear. Maent yn datgelu patrymau'r cymylau, gan gynnwys safle diwasgeddau. Mae siâp troellog y cymylau sy'n troi tuag at y canol i'w weld yn glir o'r gofod.

I broffwydo'r tywydd dros gyfnod hir, defnyddir system wahanol. Mae'n dibynnu'n bennaf ar gyfateb y patrymau presennol ag amodau tywydd tebyg yn yr un mis yn y blynyddoedd a fu. Yna, edrychir ar yr hyn a ddigwyddodd mewn gwirionedd yn y blynyddoedd blaenorol a defnyddir hynny i ragfynegi. Mae'r dasg o broffwydo'r tywydd hyd yn oed fis ymlaen llaw, fodd bynnag, yn anodd iawn, gan fod cynifer o ffactorau i'w hystyried a hyd yn oed petai dim ond un o'r rhain yn wahanol i'r disgwyl, byddai'n effeithio ar bopeth arall.